<우리나라 여행기 6: 충청 편>

맑은 바람 쐬고 쉬어 보세나

송근원

<우리나라 여행기 6: 충청 편>

맑은 바람 쐬고 쉬어 보세나

발   행 | 2024년 8월 31일

저   자 | 송근원

펴낸이 | 한건희

펴낸곳 | 주식회사 부크크

출판사등록 | 2014.07.15.(제2014-16호)

주   소 | 서울특별시 금천구 가산디지털 1로 119 SK트윈타워 A동 305호

전   화 | 1670-8316

이메일 | info@bookk.co.kr

ISBN | 979-11-419-0175-2

www.bookk.co.kr

　충청도는 내 고향이다. 대전에서 태어나 고등학교까지 대전에서 다녔고, 대학 때부터는 서울에서 생활하다가, 군 전역 후 부산에 직장을 잡은 까닭에 이후 내내 지금까지 부산을 떠나지 못하고 있다.

　충청이 고향이기에, 그리고 워낙 돌아다니는 걸 좋아한 까닭에, 젊었을 때에는 계룡산, 대둔산, 속리산, 안면도, 대천 등등 이곳저곳 많이도 가 보았지만, 부산에 정착하고 난 다음부터는 발길이 거의 뚝 끊어진 셈이었다.

　가끔 서울에 갈 일이 있어 상경하게 되면, 내려올 때 대전에 가끔 들르곤 하였지만 이상하게도 충청도 여기저기를 구경하며 내려오는 것은 아주 뜸한 일이었다.

　그러다가 은퇴한 후, 시간적 여유가 생겼다는 생각에 서울에서 내려올 때 들른 곳이 부여이다.

　일부러 부여 쪽으로 길을 잡아 미암사에 들른다. 세계 제일 큰 와불이 있다던가, 궁금하여 들른 것이다.

어느 관광지든 그 볼거리에는 늘 재미있는 설화나 전설이 따라다닌다. 이러한 이야깃거리가 없으면 볼거리가 시시해진다.

이야깃거리는 그냥 생성되는 것이 아니다. 흐른 세월만큼 역사가 있어야 하고, 볼거리에 대한 풍부한 상상력이 작용하여, 그것이 민간에 전승되면서 살을 붙이고 빼고 다듬어지며 삭힌 것이어서 재미있기도 하고, 교훈이 되기도 하고, 때로는 지나친 상상력 때문에 허황되기도 하다. 그렇지만 이런 이야깃거리가 있어야 우리가 더 많이 보고 즐길 수 있는 것이다.

미암사는 쌀바위라는 뜻의 미암에 걸친 이야깃거리가 있다. 쓸 데 없는 욕심을 부리면 안 된다는 교훈과 함께 쌀바위와 누워 계신 부처님을 구경한 후, 이제 부여 궁남지로 간다.

부여는 옛날 옛날 한 옛날, 정말 오래된 옛날, 초등학교 때인가 수학여행을 갔었다는 기억만 희미할 뿐, 무엇하나 제대로 기억하고 있는 건 없다.

그러니 부소산성, 궁남지 등을 둘러보지만 모든 게 새삼스럽다.

여기에도 물론 백제 무왕(서동)의 탄생설화와 선화공주와 서동에 관한 옛 전설이 따라다닌다.

이러한 이야깃거리를 품고 사비마루로 이름 지은 국립부여박물관에 들른다. 여기에선 옛 사비백제의 흔적을 엿보며 우리 조상들의 옛 생활과 당시의 영화를 상상할 수 있다.

한편 대전 근교, 특히 동학사는 심심하면 한 번씩 가던 곳인데 언제 가도 좋은 곳이다. 명산으로 이름난 계룡산 이쪽저쪽에 동학사, 갑사, 신원사 등이 있어 언제든지 마음을 식히기 위해 방문할 수 있는 곳이다.

고즈넉한 산사와 맑은 공기를 내뿜는 숲, 그리고 사랑하는 사람과 함께 이곳을 방문한다면 이보다 좋은 안식처가 없다.

쉬다가 지치면--쉬는 것도 오래 하다 보면 지치는 법이다--연화봉엘 올라갔다 내려와도 좋고, 은선폭포와 남매탑을 방문하거나 산 너머 갑사까지 다녀와도 좋다.

옛날 젊었을 때, 아니 어렸을 때에는 남매탑을 지나 갑사까지 갔다 오기도 했는데 이제는 동학사에만 들렀다 오기에도 바쁘다.

세월이 흐르면서 사람들은 왜 더 바빠지는지 모르겠다. 교통도 발달하고 소득도 높아지고, 그러면 이제 쉬거나 놀거나 할 시간이 많아져야 하는데도 불구하고 현실은 정 그 반대다.

참으로 아이러니한 일이다. 그렇지만 왜 그런지는 알 수가 없다.

옥천의 부소담악은 그 이름이 생소하여 호기심을 끄는 곳인데, 대전에서 가까운 곳이지만 예전엔 전혀 몰랐던 곳이다. 아마도 옛날엔 잘 알려지지 않았던 모양이다. 내가 안 가봤으니까~!

부소담악이 아름답다는 말을 듣고, 여기도 한 번 꼭 들러야겠다 싶어 서울에 갔다 내려오며 작정하고 들렀는데, 기대 이상의 아름다움을 선물로 받은 곳이다.

내가 방문했을 때는 마침 가을이어서 그런지 단풍이 참으로 아름답게 물들었고, 그것이 푸르고 잔잔한 호수와 잘 어울려 정말로 한 폭, 아니 여러 폭의 그림을 선사하는 곳이었다. 아마도 봄에는 봄, 여름엔 여름, 그리고 겨울엔 겨울로서 나름대로 흥취가 있을 것이라 생각한다.

꼭 다시 한 번 더 들려보고 싶은 곳이다.

그리고 법주사는 워낙 이름 있는 절이니, 여기서 왈가왈부해봐야 군더더기가 될 뿐이다. 법주사 구경을 하러 오신다면, 아울러 속리산 문장대도

한 번 올라가 보면 좋으리라 생각한다.

속리산 기슭에는 선병우 고가가 있어 여기에서 하룻밤 민박하며 멍 때리는 것도 권할 만하다. 특히 비 오는 날 권하고 싶다.

진천은 서울 가는 길에 슬쩍 들렀는데, 생거진천자연휴양림은 하룻밤 묵으면서 아무 생각 없이 쉬고 싶은 곳이고, 농다리는 천년 세월의 흐름을 거스르며 천천히 걷고 싶은 곳이다.

내가 들렀을 때는 장마철이어서 농다리를 건너지 못해 아쉬움이 컸다. 농다리가 놓인 강 이름은 백곡천인데,, 비가 오면 강이 되고 비가 안 오면 내가 된다.

내가 될 때 다시 한 번 들러, 농암정을 거쳐 초평호를 가로지르는 출렁다리인 미르다리를 건너 산책길을 따라 하늘다리까지 걸으려 한다. 물론 하늘다리에서는 다시 초평호를 건너 농암정 쪽으로 와 농다리로 되돌아오고 싶다. 이 산책길은 3시간 정도 걸린다는데, 경치가 아주 좋다니 기대를 해볼 수밖에 없다.

한편 월악산과 청풍호(충주호)는 예전에 가보지 않은 곳이다. 물론 이 부근을 드라이브하며 지나친 적은 있지만 말이다. 언제였든가 부산에서 출발하여 월악산 기슭의 덕주산성과 덕주사를 거쳐 도담삼봉을 구경하고 소백산휴양림에 짐을 푼 적이 있었는데, 그때 보았던 청풍호 풍경에 감탄하며, 언젠가 시간을 내어 이곳을 들러보리라 작심했던 곳이다.

그렇지만 이때에도 패망한 신라의 비애가 서려 있는 월악산 기슭의 덕주산성과 덕주사를 들러 덕주공주와 마의태자의 나라 잃은 설움에 잠시 잠겨보았을 뿐, 청풍호를 제대로 즐기지는 못하였는데 나중에 또다시 이곳을 방문할 기회가 생겼다.

이번에는 청풍호에서 배를 타고 호수 좌우에 있는 옥순봉, 구담봉, 금수산 등 아름다운 봉우리들을 감상하며 즐긴 것이다. 정말 배를 타고 맑은 바람 쐬며 한 번쯤 청풍호를 돌아볼 만하다.

도담삼봉은 몇 번 들른 적이 있지만, 이번에 다시 한 번 또 들렀다. 역시 언제 들러도 경치가 좋은 곳이다. 이곳 역시 정선군과 단양군에 얽힌 도담삼봉에 얽힌 전설이 전한다.

이제 소백산 휴양림으로 가 쉬면서 단양으로 나가 아찔아찔한 만천하스카이워크에 올라 단양 시내를 전망할 수도 있고, 그 밑으로 내려와 단양강 잔도를 천천히 걸어볼 수도 있다. 또한 카페산의 카페에 들러 차를 마시면서 여유를 즐기거나, 패러글라이딩을 타고 하늘의 새가 되어 볼 수도 있다. 참으로 단양은 볼거리도 많고, 쉬며 놀기 좋은 곳이다.

한편 소백산 휴양림은 그 자체로도 머물기에 좋은 곳이다. 단양 시내로 나가지 않더라도 그냥 휴양림 숙소에 머물면서 멍 때리는 것도 권할 만하다.

앞에서도 얘기했지만, 현대인에게는 여유가 없다. 1박 2일이나 2박 3일 조금 여유를 가지고 산사를 찾는다거나, 산속 휴양림에서 뒹굴뒹굴하는 것도 꼭 필요하지 않을까? 그냥 멍 때릴 때도 필요한 법이니……

이 글을 읽으시는 분들이여, 이 책의 제목처럼 그저 맑은 바람 쐬고 쉬어 보시지 않겠는가?

2024년 8월

송원

차례

<부여: 미암사, 국립부여박물관>
사비백제의 향기

1. 쓸데없이 욕심을 부리면······. ▶ 3

2. 역시 미련한 즁생은 어쩔 수
없능겨! ▶ 13

3. 용이 껴안은 건가, 껴안긴 걸까?
▶ 22

4. 아이구, 남사스러워라! ▶ 31

<대전 근교: 동학사, 부소담악>

옛날은 옛날이고 지금은…….

5 불교와 유교가 함께 하는 절 ▶ 43

6 힘이 없으면 물러나야지 별 수 있남!
  ▶ 48

7. 가을을 담은 호수 ▶ 54

8. 옛날은 옛날이고, 지금은 지금이다.
  ▶ 60

<청주 근교: 법주사, 생거진천자연휴양림, 농다리>

천천히 쉬엄쉬엄 가세나!

9. 한옥에서 하룻밤을 ▶ 71

10. 품위 있는 솔 ▶ 77

11. 미륵불, 빨리 오실 수 없나? ▶ 82

12. 여기도 보물, 저기도 보물…… ▶ 87

13. 하룻밤 쉬기 좋은 곳 ▶ 92

14. 앞이 안 보일 정도로 쏟아 붓는
    빗속을 뚫고 ▶ 98

15. 천년 물살에도 끄떡없네! ▶ 104

16. 자연에 순응하는 것도 삶의 한
    방편이다. ▶ 110

<충주 근교: 월악산, 청풍호, 도담삼봉, 소백산휴양림>

맑은 바람 쐬고 쉬어 보세나!

17. 덕주공주의 한 ▶ 117

18. 신성하여야 할 절에 웬 남근석?
    ▶ 122

19. 젊은 분들은 영봉에 올라가 보시도록
    ▶ 127

20. 후회는 미래를 제시해준다. ▶ 133

21. 정도전은 이미 가고 없고……. ▶ 137

22. 청풍호에 다시 와서…… ▶ 141

23. 그림에는 화가의 개성이
나타나야……. ▶ 149

24. 숲속의 집 ▶ 153

25. 다른 관광지에서도 이를
본받았으면! ▶ 157

26. 역시 젊음이 좋다. 돈도 안
무서워하고! ▶ 164

책 소개 ▶ 171

<부여: 미암사 국립부여박물관>

사비백제의 향기

1. 쓸데없이 욕심을 부리면…….

서울에서 하부(下釜)하는 길에 길에 부여로 향한다. 돌담길이 아름답다는 반교마을에 들르기 위해서다.

이 마을은 나주 정씨가 정착하여 형성된 마을로서 배나무가 많아 옛날에는 배나뭇골로 부르기도 했고, 돌이 많아 도팍골이라 부르기도 했으며, 마을 앞으로 흐르는 냇물에 널다리가 있어 판교마을이라 불리다가 지금은 반교마을로 굳어졌다.

돌이 많은 마을이라서인지, 이 마을은 산에서 불어오는 바람을 막기 위해 집집마다 자연석 막돌을 가지고 돌담을 쌓아 마을 전체가 돌담으로 길게 이어져 있다.

이 돌담길은 크기와 모양이 다른 돌로 쌓은 돌담들이 이어져 있어

반교마을 돌담

부여 반교마을

4

자연스럽고 아름다워 충청남도에서 유일하게 문화재로 지정되었다.

그러나 지금은 초가집이 다 사라지고, 전부 양옥이나 기와집으로 바뀌어 그 정겨움이 조금은 퇴색된 것 같아 안타깝다. 옛날처럼 초가집을 둘러싼 돌담장이었다면, 그 예스러운 멋과 함께 보는 이의 마음도 더 푸근했을 텐데……

어찌되었든 돌담길을 걷다 보면, 그로부터 풍기는 예스러운 정취가 남아 있어 향수에 젖게 한다.

이 돌담장은 오랜 세월 내려온 전통과 자연이 어우러진 예술품이다. 곧, 시간과 공간을 초월하는 아름다움을 지닌 문화유산이다.

이제 미암사(米岩寺)로 향한다.

이 절은 신라 진평왕 14년(서기 602년)에 의상대사가 창건했다고도

반교마을 돌담길

1. 쓸데없이 욕심을 부리면……

미암사 드는 길의 부처님들

하고, 백제 무왕 4년(서기 602년)에 관륵대사가 창건한 것이라고 전해지기도 하지만, 이에 대한 사료는 별로 없어 누가 언제 창건했는지는 정확히 알 수 없다.

그렇지만 미암사가 백제시대 때부터 존재했다는 점을 볼 때, 한국 불교 역사상 가장 오래된 사찰 중 하나라 할 수 있다.

미암사로 드는 길가엔 "미암사(쌀바위): 충청남도 지방문화재 371호, 세계최대와불 적멸보궁 진신사리 1km→"라는 커다란 입간판이 나그네를 맞아준다.

"세계 최대의 와불"이라~, 기대가 된다.

얼마 안 가 갈림길 바윗돌 위에 40여 기의 금빛 불상들이 늘어서서는 우릴 바라보고 있다.

부여 반교마을

미암사 드는 길의 부처님들

왼편으로 오르는 길가에도 역시 마찬가지이다.

검은 바윗돌 위에 서 있는 금빛 불상이 서로 대비되어 눈에 확 들어온다.

그런데 여기에서 절의 주차장으로 들어가는 길가에도 셀 수 없이 많은 금빛 불상들이 도열해 지나가는 우리를 보고 있다.

도대체 불상들이 몇 기나 되는가 궁금하여 네이버를 뒤져보았더니 모두 196기라 한다. 아마 누군가 할 일 없는 사람이 세어 본 모양이다. 아님 불심 가득한 분이 궁금해 하는 중생들을 위하여 정성을 다해 세어 본 것일지도 모른다.

그런데 저 분들은 왜 여기에 집단으로 서 있는고? 데모하는 것두 아니고~.

1. 쓸데없이 욕심을 부리면……

무엇인지 깨달음을 주기 위해 서 있는 것 같기는 한데, 미련한 중생은 전혀 깨달을 줄 모르고, 그냥 우릴 환영하기 위해 나와 계시는 거라지멋대로('제멋대로'가 표준말) 생각하며 절로 들어선다.

주차장에 차를 세우고 거대한 석축을 따라 올라간다.

석축 위로 들어서니 높이 30m의 쌀 바위가 제일 먼저 눈에 띈다.

마치 커다란 쌀알 형태의 돌이 받침돌 위에 놓여 있는 듯하다.

미암사라는 절 이름에서 미암(米岩)이란 '쌀 바위'를 뜻하는 한자말이다.

이 절 경내에는 쌀 바위가 있어 이 바위틈 사이로 쌀이 나온다고 하여 미암사(米岩寺)라는 이름이 붙은 것

미암사 쌀바위

부여 미암사

이라 한다.

바위틈에서 쌀이 나온다는 전설은 다음과 같다.

쌀 바위 앞 설명(도문화재자료 제371호)에 따르면, 옛날 어느 노파가 대를 이을 손자를 얻기 위해 절에 찾아와 불공을 열심히 드리던 중, 꿈에 관음보살이 나타나 "네 소원을 들어주리라." 하시면서 호리병에서 쌀 세 톨을 내주며 "이를 바위에 심으면 하루 세 끼 먹을 쌀이 나올 것이니 이걸로 밥을 지어 먹어라." 하셨다.

이 노파, 꿈에서 깨어보니 정말로 세 톨의 쌀알이 손 안에 있는지라, 관음보살 말대로 이 세 알을 바위에 심었더니 바위에서 쌀이 나왔고, 손자도 태어나 행복하게 잘 살았다는데, 어느 날 더 많은 쌀을 얻기 위해 노파가 부지깽이로 구멍을 후벼 팠더니 쌀은 나오지 않고 핏물만 흘러

미암사 쌀 바위

1. 쓸데없이 욕심을 부리면……

나왔다고 한다.

비슷한 이야기로 쌀 바위에 관한 다음과 같은 전설도 구전되고 있다.

옛날 이 절에 도가 높은 고승이 있어 제자인 스님들에게

"이눔들아, 공부 좀 혀, 공부 좀! 밥 먹을 생각만 하덜 말고!"

"공부만 하면 뭐 혀유? 공부가 밥 멕여 주나유? 배가 고픈디……. 그리구 쌀이 있어야 밥을 해 먹쥬."

"니들이 몰라서 그러능겨! 공부가 밥 멕여 줄 수도 있느니……. 너희들이 열심히 수도하면, 먹고 사는 건 걱정 안 해도 되느니라! 내가 죽은 후, 저기 절 뒤 절벽 앞에 있는 큰 바위로 가 보거라. 거기에 쌀이 있을 것이니……."라는 말씀을 남기고는 돌아가셨다.

중들이 가 보니 우와, 정말 바위 구멍으로 쌀이 줄줄 나오는 게 아닌가!

그래서 이 바위를 쌀 바위라고 불렀다는데, 어떤 땡중 하나가 '요 구멍을 조금 더 크게 만들면 쌀이 더 많이 나오겠지'라는 생각에 몰래 그 구멍에 나뭇가지를 넣고 쑤셔댔다고 한다.

그러자 갑자기 그 구멍에서 물이 나오기 시작했다는데, 이 물은 바위 구멍을 쑤셔대니 쌀 바위가 아파서 흘린 눈물이라고 한다. 그러니 쌀 바위가 더 이상 쌀을 생산할 수 있겠는가? 이후 더 이상 쌀은 나오지 않았다는 거다.

이러한 전설은 '쓸데없이 욕심을 부리면 오히려 망한다.'는 교훈을 주는 전설이다.

이 쌀 바위 왼쪽 앞에는 이 절의 주지인 석만청(釋萬淸) 스님이 "쌀 바위의 영험과 효능"을 적어 놓은 게시판이 있다.

부여 미암사

미암사 쌀바위와 달마상대작비

곧, 이 판 위에는

"쌀 바위에서는 원적외선이 방사되어 각종 질병의 원인이 되는 세균을 없애며, 노화 방지, 신진대사 촉진, 성인병 예방, 중금속 제거, 숙면, 탈취, 곰팡이 번식 방지 등 모세혈관을 확장시켜 혈액 순환과 세포 조직의 생성에 도움이 되므로 이 바위 앞에서 백팔배를 한 후 바위를 끌어안고 심호흡하면서 손바닥으로 문지르면 건강에도 좋고 악업이 소멸되며 소원 성취 할 수 있다."

고 적혀 있다.

그리고 그 옆에는 원적외선 방사를 증명하듯 한국건자재시험연구원의 시험성적서도 함께 게시해 놓았다.

물론 이 쌀 바위 앞에는 불전함과 제단이 놓여 있다.

1. 쓸데없이 욕심을 부리면……

이를 볼 때, 쌀 바위에서 쌀은 더 이상 나오지 않으나, 이제는 쌀 대신에 원적외선이 나오는 모양이다.

그리고 이 원적외선 때문에 돈이 생기고! 불전함엔 돈이 들어 있으니 말이다.

돈만 있으면 먹는 건 걱정할 필요가 없으니, 이곳 스님들 그냥 공부만 열심히 하면 된다.

참으로 위대한 쌀 바위, 아니 원적외선 바위이다.

이참에 쌀 바위 대신에 원적외선 바위로 개명을 혀?

한편 이 쌀 바위 왼쪽으로는 가느다란 물줄기의 폭포(?)가 있고, 그 아래 못 속에는 금붕어들이 놀고 있는데, 못 가운데의 문수동자 조각상이

미암사 쌀바위 옆 문수동자상

부여 미암사

이를 지그시 내려 보고 있다.

그리고 그 왼쪽으로는 달마대사를 음각해 놓은 달마상대작비(達磨像大作碑)가 있다.

달마는 130세 때 갈대 잎을 타고 양자강을 건너 숭산 소림사에서 구 년 면벽참선을 하여 "사람의 마음은 본디 청정한 것"임을 깨닫고 선종(禪宗)의 초조(初祖)가 된 분이라는데, 이 비석에 새겨 놓은 달마상은 바로 갈대 잎을 타고 양자강을 건너는 달마대사의 모습이라고 한다.

1. 쓸데없이 욕심을 부리면……

2. 역시 미련한 중생은 어쩔 수 없능겨!

2017년 3월 29일(수)

한편 쌀 바위 오른쪽으로는 산신각이 있는데, 팔작지붕이 날아갈 듯하고, 그 앞의 오래 된 삼층석탑과 썩 잘 어울린다.

쌀 바위 왼 옆 토굴에는 약수터가 있고, 그 안에는 용왕을 모시고 있다.

물론 여기에서도 불전함은 빠질 수 없다.

자본주의 시대니깐!

이 약수터 위에는 정말로 엄청 큰 와불, 곧 누워있는 부처님이 계신다. 길이 27m(혹자는 30m라고도 한다), 높이 7m, 폭 6m의 와불이라니

미암사 산신각

부여 미암사

미암사 약수터 안 용왕전

2. 역시 미련한 중생은 어쩔 수 없능겨!

정말 '세계 제일 큰 와불'인 모양이다.

그런데 내가 본 와불 가운데, 가장 기억에 남는 것이 태국의 왓포 사원에 있는 와불인데, 이 와불도 꽤 큰 와불이라는 생각이 들어 그 크기를 다시 찾아보니, 길이 46m, 높이 15m이고, 발바닥 높이 3m로 역시 방콕에서는 제일 큰 와불이지만, 태국에서는 세 번째로 큰 와불로 나와 있다.

그러니 미암사 와불이 '세계에서 제일 큰 와불'은 아닌 셈이다.

그렇지만 사람들은 "우리 부처님이 제일 크다."고 했는데 그게 아니라고 판명되면, '제일 크다'는 의미에 조건을 붙여서라도 세계 제일 큰 부처라고 우긴다. 예컨대, 왓포에 있는 와불이나 차욱따지에 있는 와불은 실내에 있는 와불이고, '야외에 있는 와불로는 미암사 와불이 세계

미암사 와불

부여 미암사

미얀마 바고의 나웅또지 마탈랴웅 와불

제일 큰 와불'이라고 우기는 거다.

사실 내가 본 야외에 있는 와불 가운데 미얀마 바고의 나웅또지 마
탈랴웅(Naungdawgyi Myathalyaung) 파고다에 있는 와불도 엄청 큰데,
내가 직접 재보지는 않아 미암사 와불이 더 큰지, 나웅또지 와불이 더
큰지는 알 수 없다. 비슷한 크기 아닌가 싶다.

이럴 줄 알았으면 제대로 재 보고 올 걸~.

어찌되었든, 미암사 와불이 '세계에서 제일 큰 와불'이라는 말은 '한
국에서 제일 큰 와불'로 변경해야 할 듯하지만. 내친김에 인터넷으로 이
리저리 찾아보니, 우리나라 밀양의 영산정사(靈山精舍)에 있는 와불은
길이가 120m이고, 높이가 21m로서 기네스북에 등재된 세계 최대의 와
불이라 나와 있다.

2. 역시 미련한 중생은 어쩔 수 없능게!

그러니 미암사 와불은 '한국에서 제일 큰 와불'도 아닌 셈이다. 게다가 영산정사에 있는 와불도 야외에 있는 와불이니, 미암사 와불을 '야외에 있는 한국에서 제일 큰 와불'이라고 주장할 수도 없다.

그런데 세계에서 제일 큰 와불이면 어떻고 그보다 작은 와불이면 어떤가? 크면 클수록 더 영험한가? 커야지만 더 깨달음을 주는가?

별걸 다 따지고 있다.

그래도 덜 깨인 중생들은 이게 크니 저게 크니 하며, 부처님 키 재기 놀이를 하고 있다.

그래서 결국 사람들은 미암사 와불을 플라스틱으로 만들었다는 점에 착안하여, '플라스틱으로 만든 와불 중에는 세계에서 제일 큰 와불'이라고 주장한다. 말이 안 되는 건 아니다. 그렇지만 좀 구차하지 않은가?

밀양 영산정사 와불

부여 미암사

미암사 누워계신 이 부처님, 귀가 무척 간지럽겠다.

"야 이눔들아, 나는 가만히 누워 있는데, 왜 내 키를 가지고 니가 크니 내가 크니 하면서 떠들고 있누? 쯧쯧!"

"죄송혀유. 이제 더 이상 안 따지구유~, 그냥 여기 미암사 부처님만 믿을 거구만요."

한편 "미암사 와불을 플라스틱으로 만들었으니 세계 제일이다. 한국 제일이다를 따지면 뭐하나?"라며 따지지 말자면서, 다른 한편으로는 "플라스틱 부처님이니 신심이 생기겠나?"고 의심을 표하는 사람들이 있다.

아니 "플라스틱 부처님이니 신심이 생길까, 안 생길까?"를 따지는 사람들 역시 자가당착이다.

"세계 제일이니 아니니를 따질 필요가 없다."면서 "신심이 생길까

미암사 와불

2. 역시 미련한 줌생은 어쩔 수 없능계!

안 생길까?"는 왜 따지누?

플라스틱 부처님이면 어떻고, 나무로 깎은 부처님이면 어떻고, 돌에 새긴 부처님이면 어떻고, 금동으로 주조한 부처님이면 어떤가?

그 부처가 그 부처 아닌가?

우리가 꽃을 바라보고 "저 꽃 참 예쁘다." 느끼면 그 꽃이 우리 마음속에 자리 잡는 것처럼, 이 부처든 저 부처든 부처로 받아들이고 믿으면 우리 마음속에 부처가 자리하는 것 아닌가!

우리 마음속에 자리 잡은 꽃은 조금 전 바라본 꽃이 아니다. 바라본 꽃을 넘어선 것이다. 마찬가지로 우리 마음속에 자리한 부처 역시 플라스틱 부처도 아니요, 나무부처도 아니요, 돌부처도 아니고, 금동부처도 아니다.

부처면 부처로 받아들이면 되는 것이지, 그 재질에 따라 믿음이 달라지는 것이 아닌 것을!

기독교에서 우상을 섬기지 말라 하였거늘, 부처의 재질이 무엇인지를 따져서 신심이 좌우된다면 그것은 곧 '자신이 우상을 믿고 있다.'고 고백하는 것과 다름이 없다.

우상을 보지 말고 우상 속에 있는 참 본질을 보시라.

분별심이 곧 우상을 만들어 내는 것이다. 그래서 불가에선 분별심을 경계하는 것 아닌가!

중생이여, 분별심을 버려라.

미암사에 누워 계신 부처님 역시, 곱슬곱슬한 머리카락만 까만색일 뿐 온 몸이 온통 금빛으로 뒤덮여 있다.

이 와불의 발바닥에는 법륜과 '옴'자가 1만 8천 자 새겨져 있다는데,

부여 미암사

미암사 와불 발바닥

미암사 와불법당

2. 역시 미련한 중생은 어쩔 수 없능계!

손으로 만지면 번뇌에서 벗어날 수 있다고 한다.

그래서인지 사람들은 자기 키보다 훨씬 큰 부처님 발바닥을 열심히 문지른다.

어이구, 저러다가 저 발바닥 다 닳겠다 싶다.

이제 이 발바닥 뒤쪽에 있는 문을 통해 이 부처님 몸속으로 들어가 본다.

여기에는 2만 개의 자그마한 불상으로 채워진 붉은색의 조금은 화려한 법당이 있다.

이 법당은 법회와 불공을 드릴 수 있는 세계 최대의 와불법당이라고 한다.

아이구, 여기에서도 또 쓸데없이 '세계 최대'라는 말이 나오네~.

역시 미련한 중생은 어쩔 수 없능겨!

이제 쓸데없는 생각을 버리고, 미암사를 빠져 나온다.

부여 미암사

3. 용이 껴안은 건가, 껴안긴 걸까?

2017년 3월 29일(수)

이제 미암사를 떠나 백제의 고도였던 부여로 간다.

아무리 역사 공부도 공부겠지만, 일단 주린 배를 채워야 한다.

밖으로 나와 점심을 거하게 먹고는 이제, 배도 꺼지게 할 겸, 부소산
의 낙화암으로 간다.

일단 고란사 약수터부터 들른다.

고란사는 부여 부소산 복쪽 백마강 강가에 있는 절인데, 이 절보다
는 이 절 뒤 약수터 암벽에서 자라는 고란초가 유명하다.

원효대사가 백마강 하류에서 강물을 마시고는 이곳에 고란초가 있음

고란사 약수 이야기

을 알았다고 한다.

고란초는 불로초로 알려진 양치류에 속하는 은화식물(隱花植物: 꽃을 피우지 않고 포자로 번식하는 식물)이다.

이 고란초의 부드러운 이슬이 바위틈에서 새나오는 약수에 떨어져 이 약수가 효험을 가진다는 것인데, 이에 관해서는 전해 내려오는 재미있는 이야기가 있다.

부여: 볼 만한 곳

곧, 옛날 옛날 한옛날, 소부리(사비, 곧 부여의 옛이름)에 금슬 좋은 노부부가 살았는데 늙도록 자식이 없어 이를 한탄하고 있었다 한다,

그런데 어느 날 이 마을 뒷산의 일산에 사는 도사가 와서 할머니에

부여 궁남지

게 일러주길,

"고란사 약수를 한 잔 마시면 삼 년이 젊어질 텐디……."

이 말을 듣고는

'그럼, 우리 할아버지도 회춘할 수 있겠구먼'이라 생각하여 다음날 새벽 할아버지를 깨워 약수터로 보내어 약수물을 마시라고 했겠다.

그런데 약수터에 간 할아버지가 아무리 기다려도 오지를 않자 할머니가 약수터로 가보았더니, 웬 갓난아기가 남편의 옷을 입고 버둥거리고 있었다 한다.

"아이구, 한 잔 마시면 삼 년이 젊어진다는 말을 안 했구나! 이를 어쩐다?"

이 할아버지, 요걸 모르고 계속 약수를 마셔 결국 애기가 될 수밖에 없었다는 거다.

그래서 어떻게 되었냐고?

헐 수 없지 뭐, 할머니는 이 아기를 데려와 고이 기를 수밖에! 나중에 이 아이가 커서 나라에 큰 공을 세워 좌평이라는 큰 벼슬을 하였다고 한다.

이런 이야기가 고란사 가기 전 게시판에 적혀 있다.

이 게시판을 여기에 세워 놓은 이유는 "욕심을 너무 부리면 아기가 된다."는 교훈을 주기 위해서 아닐까?

그러니 여기 오시는 분들, 너무 욕심 부리지 말고 약수를 적당히 마시기 바란다.

한편 커다란 바윗돌 위에는 백화정(百花亭)이라는 정자가 세워져 있어 낙화암과 백마강을 조망하게 해준다.

3. 용이 껴안은 건가, 껴안긴 걸까?

백화정

분명 백화정의 '백화'란 '백 개의 꽃'이란 뜻이지만, 낙화암에서 몸을 던진 삼천 궁녀를 비유하는 말일 것이다.

낙화암이라는 이름은, <삼국유사> '백제고기'에는 의자왕의 후궁들이 떨어져 죽은 이 바위를 말 그대로 '타사암(墮死岩)'이라 적어 놓았는데, 후에 사람들이 낙화암으로 부른 것이라 한다.

백제가 나당 연합군에게 망하자, 삼천 궁녀--혹자는 의자왕의 후궁들이라고 한다.--가 적군에게 욕을 보이느니 깨끗이 죽자 하여 치마를 뒤집어쓰고 낙화암에서 몸을 던진 것이다.

낙화암 절벽은 60m 정도이고, 절벽 아래에는 우암의 글씨로 '낙화암'이 새겨져 있다.

부소산엔 낙화암, 고란사가 유명하지만, 이곳엔 백제의 충신인 성충,

부여 궁남지

정림사지 석조여래좌상

흥수, 계백을 모신 삼충사도 있고, 고란사로 가는 길목엔 임천 관아의 정문을 옮겨 세운 누각인 사자루도 있다.

부소산성을 나와 이제 서동공원(薯童公園)으로 가는 길에 잠간 정림사지에 들른다.

정림사지는 백제 왕실의 사찰이지만 지금은 절터에 국보 재9호로 지정된 오층석탑만 쓸쓸히 서 있다. 그렇지만 오층석탑은 우아하고도 세련된 아름다움을 보여주고 있다. 국보 제9호로 지정될 만하다.

바로 옆의 보호각 안에는 5.62미터의 석조여래좌상이 있는데, 한쪽 팔은 없고, 세세한 부분은 다 생략한 채 팔도 다리도 뭉툭뭉툭하고, 얼굴도 거의 평면에 가깝게 조각되었는데, 마치 모자를 쓰고 있는 천진난

3. 용이 껴안은 건가, 껴안긴 걸까?

만한 아동의 얼굴을 하고 있다.

어찌 보면 투박하고 치졸하기도 하나, 그 치졸미 때문에 더욱 더 순박한 순수미를 보여주며, 추상적 표현이 돋보이는 작품이기도 하다.

이제 계속 남쪽으로 내려가면 서동과 선화공주의 사랑 이야기가 배어 있는 서동공원(薯童公園)이 있다.

여기에는 대한민국 사적 제135호로 지정되어 있는 부여 궁남지(宮南池)가 있다. 궁남지는 말 그대로 후기 백제인 사비 백제의 궁성인 사비성 남쪽에 있는 못이다.

궁남지는《삼국사기》백제본기에 의하면, 백제 무왕 35년(서기 634년)에 축조된 것으로 추정된다. 곧, '3월에 궁성(宮城) 남쪽에 연못을 파고 물을 20여리나 되는 긴 수로로 끌어들였으며, 물가 주변의 사방에는

궁남지

부여 궁남지

궁남지 연밥

버드나무를 심고, 연못 가운데에는 섬을 만들어 신선이 산다는 방장산 (方丈山)을 본떴다.'고 되어 있다.

이를 볼 때 궁남지는 백제 무왕 때 만든 별궁 연못으로 추정된다. 실제로 연못 동쪽에 이궁(離宮: 임금이 나들이할 때 머무는 궁)으로 보이는 궁궐터가 남아 있고, 3~4세기와 6~7세기의 유물들이 출토되었다.

이 연못은 우리나라에서 축조된 최초의 인공 연못인 셈인데, 《일본 서기》에 궁남지의 조경(造景) 기술이 일본에 건너가 일본 원지 조경의 원류가 되었다고 적혀 있다니 당시의 축조 기술이 얼마나 대단했는지를 알 수 있다.

백제가 멸망한 후, 이 못은 훼손되고 농지로 사용되었기에 당시 연 못이 얼마나 컸는지는 짐작할 수 없으나, 무왕 37년 3월에는 '왕이 왕

3. 용이 껴안은 건가, 껴안긴 걸까?

궁(王宮)의 처첩(妻妾)과 함께 대지(人池)에서 배를 띄우고 놀았다.'는 기록이 있는 것을 볼 때, 꽤 큰 못이었을 것으로 짐작한다.

한편, 이 궁남지는 백제 무왕(武王)의 출생과 관련이 있다는 설화가 있다. 곧, 백제 법왕(法王)의 시녀였던 여인이 못가에서 홀로 거닐다가 그만 용이 덮치는 바람에 아들을 낳았는데, 그 아이가 서동(薯童)으로 법왕의 뒤를 이은 무왕(武王)이라는 거다.

그러나 이 탄생 설화는 이 못이 무왕 35년에 축조된 것으로 기록되어 있으므로 후에 누군가에 의해 덧붙여진 가짜 뉴스인 듯하다.

아마도 이 설화를 바탕으로 연못 가운데 있는 정자 이름을 포룡정(抱龍亭)이라 지은 듯하다.

포룡정이란 '용을 품 안에 껴안은 정자'라는 뜻이니, 용이 시녀를 덮

궁남지

부여 궁남지

친 것이 아니라 시녀가 용을 붙잡아 품 안에 껴안은 것 아닌가?

용이 껴안은 건가, 껴안긴 걸까?

용이 시녀를 덮쳤든, 시녀가 용을 껴안았든, 어찌되었든 간에 가짜 설화를 진짜인 듯 기정사실로 만들기 위해 포룡정이란 이름까지 동원한 것일 게다.

매년 7월 중순 경 이곳에서 연꽃 축제가 있다 하니 요 때 방문하면 볼거리 먹을거리가 많아 좋을 듯하다.

연못 안에는 포룡정이라는 정자도 있고, 분수도 뿜어져 나오며, 다채로운 공연도 펼쳐지고, 못가의 조명도 이뻐 밤에는 환상의 세계로 변한다니 청춘남녀들이 즐겨 찾는 데이트 코스로 딱이다.

이제 시대는 여성상위 시대이니, 이때 연인끼리 방문하여 포룡정에 가서 꼭 껴안기 바란다. 이것이 애국하는 길이다.

아직 철이 아닌지라 연꽃으로 유명한 이 못에서 연꽃은 보지 못하고 말라버린 연 줄기밖에 볼 수 없었지만, 이 못이 풍기는 그윽하고 조용한 아름다움은 그 나름대로 나그네의 마음을 여유롭게 해준다.

3. 용이 껴안은 건가, 껴안긴 걸까?

4. 아이구, 남사스러워라!

2017년 3월 29일(수)

이제 궁남지에서 얼마 안 떨어진 부여국립박물관 '사비마루'로 간다.

부여박물관에 '사비마루'라는 이름을 붙인 것을 보니 다시 한 번 우리말의 아름다움을 생각하게 된다.

부여의 옛 땅이름이 '사비'였으니, 여기에 '마루'라는 명칭을 붙인 것이다.

그렇다면, 부여의 옛 이름인 '사비'가 무슨 뜻을 가지고 있는가?

혹자는 부여를 신라가 차지한 뒤 소부리주(所夫里州)를 설치하였다는 점에서 '소부리라는 말이 '식벌'이므로 '새 벌', 곧 동경(東京) 또는

부여국립박물관 : 사비정

부여 국립부여박물관

‘새 도시’로 해석하기도 하나, 이는 위치상으로나 새로운 도시로 보기에는 어렵기에 이 해석은 맞지 않다고 본다.

신라가 ‘소부리’라는 이름을 붙인 것은 아마도 ‘사비’에 마을을 뜻하는 ‘부리’를 붙여서 ‘사비부리’라 부르던 것이, ‘습부리>소부리’로 변한 것으로 보아야 할 것이다. 그러나 ‘습’ 또는 ‘사비’가 무엇을 의미하는지는 알지 못한다.

세상이 어찌 변한 것인지, 아파트 이름까지도 국적이 어디인지도 모를 괴상망측한 이름을 붙이는 시대에 우리말을 살려 이름을 지어 놓은 부여박물관이 훨씬 돋보인다.

어떻게 이런 이름이 붙었는지, 누가 붙인 이름인지는 모르지만, 우리 역사를 보여주는 박물관이니 이런 이름이 붙은 것은 마땅하다. 덧붙여

국립부여박물관 사비마루

4. 아이구, 남사스러워래!

국립부여박물관 사비마루 앞뜰

우리 역사, 우리말을 사랑하여 이런 이름을 붙여준 분들이 고맙다.

어찌 보면 당연한 것이긴 하나, 워낙 세상이 요상하게 돌아가고 있으니, 필수가 선택이 되고 그 선택이 칭송받는 것이 하나도 이상하지 않다.

박물관 앞뜰에는 노란 산수유와 하얀 목련이 화사하게 피어 있고, 마침 박물관에서는 사비의 역사에 관한 기획전시를 하고 있다.

선사시대의 부여 유물부터 살펴본다. 밑이 뾰족한 흙항아리며, 돌도끼며, 돌칼이며, 그리고 밑이 넓적한 흙항아리 등을 건성건성 보면서 지나친다.

허긴 살펴봐야 뭘 아는 게 없으니, 옛날 우리 선조들이 이렇게 살았구나 할 뿐이다.

부여 국립부여박물관

국립부여박물관

국립부여박물관

4. 아이구, 남사스러워라!

남근 모양 토기 손잡이

그런데 확 눈에 들어오는 게 있다. 남근 모양 토기 손잡이이다.

아이구, 남사스러워라('부끄러워라'의 경사도 사투리)!

그렇지만 뭐, 지구 인구의 절반이 저런 걸 달고 있으니 새삼스러울 것두 없는디⋯⋯.

그렇지만, 사람의 관념이란 이른바 '문화'라는 틀 속에서 형성되는 것이 아닌가!

사람들이 모두 벌거벗고 다니지 않고 옷으로 감추고 다니다 보니, 요런 토기 손잡이 모양을 보면, 눈에 확 띄고, 고만 부끄러움을 느끼게 되는 것이다.

참으로 문화의 영향력은 대단한 것이다. 우리가 알게 모르게 세뇌시 켜 일정한 틀 속에 우리를 가두어버리는 것이니!

부여 국립부여박물관

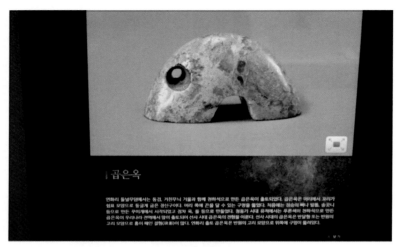

곱은옥

연화리 돌날무덤에서는 동검, 거친무늬 거울과 함께 천하석으로 만든 곱은옥이 출토되었다. 곱은옥은 머리에서 꼬리가 휘듯 모양으로 둥글게 굽은 장신구이다. 머리 쪽에 끈을 달 수 있는 구멍을 뚫었다. 처음에는 짐승의 뼈나 발톱, 송곳니 등으로 만든 꾸미개에서 시작되었고 점차 옥, 돌 등으로 만들었다. 청동기 시대 유적에서는 푸른색의 천하석으로 만든 곱은옥이 우리나라 전역에서 많이 출토되어 선사 시대 곱은옥의 전형을 이룬다. 선사 시대의 곱은옥은 반달형 혹은 반원형의 고리 모양으로 틈이 배인 설형(舌形)이 틈이 많다. 연화리 출토 곱은옥은 반원의 고리 모양으로 위쪽으로 구멍이 뚫렸다.

곱은옥

백제금동대향로

칠지도

4. 아이구, 남사스러워라!

그리고 조금 가니 반달 형태의 한쪽에 구멍 뚫린 곱은옥이 보인다. 일종의 장신구라는 설명이 붙어 있다.

이제 백제의 금동대향로와 칠지도 복제품이 눈에 띈다.

금동대향로는 능산리 고분군에서 발견된 것으로 그 조형미가 대단한 보물이니 당연히 기억하는 것이고, 칠지도는 일본 덴리[天理 천리] 시 이소노카미신궁[石上神宮 석산신궁]에 보관 중인 칼인데, 일본은 백제에서 일본 천황에게 바친 칼이라 우기고, 우리는 백제가 일본 천황에게 하사한 칼이라고 주장하며, 임나일본부설의 실재 여부에 대한 논란을 일으킨 칼이다. 곧, 이 칼이 유명하게 된 것은 이 칼에 새겨진 명문(銘文) 때문이다.

백제 문양전: 연꽃구름무늬.

어찌되었든 이 칼은 백제에서 만든 의식용 칼임에는 틀림없다.

그리고는 부여 외리사지 문양전(文樣塼: 무늬가 있는 벽돌)인 연꽃구름무늬 벽돌, 봉황무늬 벽돌. 용무늬 벽돌, 산

백제 문양전: 용무늬

부여 국립부여박물관

백제 문양전: 산수풍경무늬

백제 문양전: 산풍경도깨비무늬

백제 문양전: 연꽃도깨비무늬

수풍경무늬 벽돌, 산풍경도깨비무늬 벽돌, 연꽃도깨비무늬 벽돌 등이 보인다. 그 무늬가 참으로 예술적이고 재미있다.

한편 벼루, 청자완(靑磁 盌: 청자 주발. 위가 약간 벌어지고 뚜껑이 있는 밥그릇), 기와, 기와 막새(처마 끝을 잇는 수키와)가 보인다.

이어 치미(鴟尾: 망새. 지붕 대마루 양쪽 끝머리에 얹는 기와)도 보이고, 불상도 보이고, 나한상 얼굴이라는 탈 비슷한 것도 보인다.

나한상 얼굴은 웃는 모습인데 참으로 걸작인 작품이다.

그런데, 정말 나한상 얼굴인지는 모르겠다. 눈이 감긴 순박한 웃음

4. 아이구, 남사스러워라!

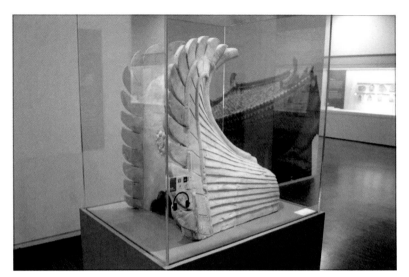

치미

나한상 얼굴

부여 국립부여박물관

속의 주름 잡힌 얼굴은 혹 촌부의 얼굴 아닐까?

이 외에도 많은 것들을 보았지만, 아는 게 없으니 기억도 없다.

그래서 공부를 더 해야 하는디…….

오직 관심이 있는 것만 눈에 뜨인다고 했던가? 그나마 내가 관심 있는 것만 사진으로 남겨 놓았을 뿐이다.

4. 아이구, 남사스러워라!

<대전 근교: 동학사, 부소담악>

옛날은 옛날이고 지금은…….

3

5. 불교와 유교가 함께 하는 절

2019년 8월 27일(화)

오랜 만에 계룡산 동학사를 찾는다.

계룡산은 고향인 대전 근처에 있어 친구들과 자주 가보던 산이지만, 언제 가보아도 새롭고 좋다.

이곳에 오면 늘 과거의 기억이 새록새록 떠오른다.

옛날 중학교 때인가 고등학교 때인가, 동학사 앞 계곡에서 가재를 잡다 스님한테 혼난 적도 있고, 남매탑을 거쳐 산을 넘어 갑사까지 갔다가 돌아온 적도 있고, 대학교 때에 절친인 백강 유병수 군과 대웅 김수철 군과 함께 갑사의 작은 암자에서 고시 공부 한답시고 한여름을 잘

계룡산

계룡산 동학사

보낸 적도 있다.

동학사는 통일신라시대에 상원조사가 이곳에 암자를 짓고 수도하다 입적한 뒤 그 제자인 화의화상이 문수보살을 모시는 청량사(淸涼寺)라는 절을 짓고, 남매탑을 세운 데서 그 역사가 시작된다.

청량사라는 이름은 문수보살이 현현하신 곳이라 하여 붙인 이름이다.

한편 보물 제1284호와 1285호로 지정되어 있는 남매탑은 상원조사가 호랑이 목에 걸린 뼈를 빼 주자 호랑이가 은혜를 갚는답시고 처녀를 물어다 절 앞에 놓아두었다는데, 조사는 이 처녀와 의남매를 맺고 함께 수도에 전념하다 입적한 후, 이 두 분의 사리를 안장하기 위해 세운 탑이라는 전설이 전한다.

이후 고려 초 도선이 절을 중창하면서 고려 태조의 원당(願堂: 죽은 사람의

동학사

5. 불교와 유교가 함께 하는 절

동학사 대웅전

명복을 빌던 법당)을 설치했고, 신라의 유신인 류차달이 박혁거세와 박제상의 초혼제를 지내면서 동학사(東鶴祠)를 지었고 후에 절 이름도 동학사(東鶴寺)로 바뀌었다고 한다.

조선 건국 직후 야은 길재가 고려 충신이자 동방이학(東方理學: 조선시대의 성리학으로 발전한 철학적 사조)의 조종(祖宗)인 포은 정몽주를 제향한 데서 동학사(東學寺)라 했다는 설도 있고, 절 동쪽에 학 모양의 바위가 있어 동학사(東鶴寺)라는 이름을 가지게 되었다는 두 가지 설이 있다.

이후 조선 초에는 고려 유신인 유방택이 이곳에 삼은단을 쌓고 야은 길재, 포은 정몽주, 목은 이색의 초혼제를 지냈고, 공주목사 이정한이 전각을 지어 삼은각(三隱閣)이라 하였다.

한편 세조가 왕위를 찬탈한 후, 매월당 김시습이 세조 2년에 이곳에 단을 쌓고 사육신(死六臣: 단종 복위를 꾀하다가 발각되어 세조에게 죽임을

동학사

당한 여섯 신하, 곧 성삼문, 박팽년, 이개, 하위지, 유성원, 유응부를 일컫는 말)
의 초혼제를 지냈다는데, 세조가 그 이듬해 이곳에 들렀다가 초혼단을
보고 감동하여 팔 폭 비단에 순절하신 분들의 명단을 적어 유교와 불교
가 함께 제사를 지내게 한 뒤 초혼각을 짓게 하였다고 한다.

　이때 인신(印信: 도장이나 관인 따위를 통틀어 이르는 말)과 토지 등을
하사하여 동학사라 사액(賜額: 임금이 사당이나 누문 따위에 이름을 새긴 편
액을 내리던 일)하고 승려와 유생이 함께 제사를 받들도록 하였다. 후에
초혼각은 숙모전(肅慕殿 '엄숙하게 기리고 그리워한다'는 뜻의 전각 이름)이
라는 이름으로 바뀌었다.

　숙모전은 단종 복위 운동을 하다가 돌아가신 분들의 위패를 모신 전
각이다. 숙모전 정전에는 단종과 정순왕후의 위패가 모셔져 있고 그 좌
우에 동묘와 서묘가 있는데, 여기에는 사육신과 생육신(生六臣: 세조가

5. 불교와 유교가 함께 하는 절

단종의 왕위를 빼앗자 벼슬을 버리고 절개를 지킨 여섯 명의 신하, 곧 김시습, 성담수, 원호, 이맹전, 조려, 남효온을 말한다) 이외에도 300여 충신들이 모셔져 있다.

　동학사는 비구니승가대학이 있는 절이고 부처님을 모신 절이지만, 이와 같은 사연 때문에 이곳에는 신라, 고려, 그리고 조선의 충신들인 유신(儒臣)들도 많이 모시고 있는 절이다.

계룡산 동학사

6. 힘이 없으면 물러나야지 별 수 있남!

2019년 8월 27일(화)

차를 주차장에 세워 놓고, 동학사로 난 길을 따라 올라간다.

왼쪽으로는 무풍교(無風橋)라는 다리가 있고, 그 밑으로 내려가는 계단을 따라가면 계곡에서 물놀이하는 사람들을 볼 수 있다.

주차장 오른쪽으로는 천정골 가는 길에 숲이 우거져 있고, 여기에도 계곡이 있어 발 담그고 더위를 피하기 좋다.

그런데 동학사 매표소 위쪽 계곡은 국립공원 지역이어서 발만 담글 수 있으니, 더위를 식히기 위해 발만 담그시라. 만약 몸 전체를 담그다 가는 국립공원 직원들에게 걸려 창피를 당하고 과태료를 내야 하는 불상사가 생길 수도 있다.

계룡산 계곡

동학사 일주문

계절이 계절인지라, 오르는 길은 녹음이 우거져 굳이 계곡으로 내려
가지 않아도 마음과 몸이 상쾌하다.

매표소를 거쳐 일주문을 지나 조금 가니 순박한 여인의 모습을 새겨
놓은 돌로 된 동상이 서 있다.

예전에는 못 보던 거다. 그렇지만 그 조각 수법이 단순하면서도 소
박한 여인의 슬픔을 잘 표현하고 있어 눈길을 끈 것이다.

나중에 알고 보니 생육신 중 한 명인 김시습과 관련된 일명 '삼은
(三隱) 각시'라 한다. 곧, 김시습은 세초 찬탈에 벼슬을 버리고 계룡산에
들어가 은거하던 중 한 여인이 김시습에게 연정을 품고 다가왔으나, 김
시습은 자신의 절개를 지키기 위해 거절하였고, 이 여인은 김시습을 그
리워하며 슬픔 속에 생을 마감하였다는 전설이 있다.

계룡산 동학사

동학사 삼은각시

6. 힘이 없으면 물러나야지 별 수 있남!

어쩐지 슬퍼 보이더라니…….

얼마 안 가 바로 동학사 본 절이 보인다.

중요문화재로는 대웅전에 모셔진 목조석가여래삼불좌상(보물)과 삼층석탑과 삼성각이 있다.

동학사 대웅전 앞 담벼락 곁엔 석조가 놓여 있는데, 석조 속엔 보라색 연꽃이 피어 있고, 석조에 기대어 검은 우산이 걸쳐 있다

대웅전 안에는 대한민국의 보물 제1718호로 지정되어 있는 목조석가여래삼불좌상이 있다.

이 여래좌상은 중앙에 석가여래를 중심으로 좌우에 약사여래와 아미타여래가 배치된 형태인데, 나무의 자연스러움을 살리면서 세밀하게 조각한 기술이 돋보이는 작품으로서 조

동학사 연꽃

계룡산 동학사

선 시대의 불교 미술의 특징을 잘 보여주고 있는 한국 불교 미술의 중요한 유산 중 하나이다.

동학사 대웅전 앞엔, 계룡산 남매탑이 있는 청량사에 있던 것을 옮겨온 삼층석탑이 있다.

이 탑은 중요 문화재로 지정된 탑으로서 신라 성덕왕 때 만들어졌다고 하나, 탑의 모습으로 볼 때 고려 시대의 석탑으로 추정된다고 한다.

한편, 또 하나의 중요 문화재로 지정된 것은 대웅전 왼쪽 뒤에 있는 삼성각이다.

삼성각은 우리나라에 불교가 들어오면서 우리의 전통 신앙과 불교가 습합하여 만들어진 공간으로 산신각, 삼신각 등으로도 부른다.

이 전각은 산신, 칠성, 독성의 세 분을 모시는 전각이다.

동학사 대웅전 앞 삼층석탑

6. 힘이 없으면 물러나야지 별 수 있남!

산신은 우리 민족의 토속신으로 호랑이와 함께 있는 산신령의 모습이고, 칠성은 별들의 우두머리인 북두칠성을 의미하는데, 인간의 복과 수명을 맡은 신으로 추앙되며, 독성은 사람들에게 복을 내리는 신으로 지팡이와 염주 또는 불로초를 들고 있는 모습으로 표현된다.

이 전각은 불교의 세가 강해지면서 절 뒤편으로 슬며시 물러나 있다.

동학사 대웅전

힘이 없으면 물러나야지 별 수 있남!

대웅전 앞에는 새로 지은 석등이 두 기 좌우에 있고, 옆문으로 스님이 목탁을 두드리고 서 있다.

계룡산 동학사

7. 가을을 담은 호수

2022년 11월 4일(금)

서울에서 하부(下釜)하는 길이다.

그동안 소문만 들었던 옥천의 부소담악에 들렀다 가기로 했다.

대전에서 태어나 대전에서 죽 자랐으면서도 옥천은 그저 보은 선산에 가기 전 지나가는 곳으로만 여겼고, 단지 육영수 여사와 내가 좋아하는 시인 정지용 씨의 고향이라는 것만 알고 있었다.

그런데 옥천의 부소담악이 아름답다는 말을 듣고는 언젠가 한 번은 꼭 가봐야 되겠다 마음먹었는데, 이번 부산 내려가는 길에 부소담악을 들른 후, 정지용 생가와 육영수 여사 생가 등을 둘러보기로 한 것이다.

아침 일찍 근애네 집을 나서 옥천으로 향했다.

부소담악은 옥천군 군북면 추소리 부소무니(또는 부소머니, 부소머

부소담악

부소담악

리) 마을 앞 물위에 떠 있는 산이라는 뜻이라고 한다.

해발 120m의 부소산은 부소무니 마을 앞 물로 솟아 있던 산을 말하는데, 대청댐이 만들어지면서 부소무니 마을은 물론 부소산 아래쪽 많은 부분이 물에 잠기어 현재의 형태를 띠고 있다.

부소담악은 한자로 '扶沼潭岳, 赴召潭岳, 芙沼潭岳'의 세 가지가 쓰이는데, 옥천군 홈페이지에는 '扶沼潭岳'으로 되어 있다.

이 산이 부소산(赴召山))이라 쓰인 것은 임금의 부름(赴召)을 받아 올라오던 산 하나가 추소리 서화천(西華川)에서 발목이 잡혀 머물게 되었다는 전설 때문이라 하며, 부소산(芙沼山)이라 쓰인 것은 호수에 핀 연꽃 모양의 산이라는 뜻으로 그렇게 쓴 것이다.

그렇지만 여기에서 '부소'는 '불'을 뜻하는 말로서, 서화천을 끼고 있던 산 모양이 마치 불꽃 모양을 하고 있기 때문에 붙여진 이름이다.

옥천 인터체인지로 나와 북쪽으로 내비게이션이 보여주는 길을 따라

부소담악

올라간다. 조그만 터널을 지나고 구불구불한 산길로 달려간다.

이 길로는 대형 관광버스가 다닐 수 없다는 말이 실감이 난다.

거리는 단풍으로 물들어 있고 산속의 길이라서 그런지 공기는 상쾌하다.

11시쯤 오른쪽으로 산 사이에 있는 마을 너머로 호수가 보인다.

경치가 좋다. 호수 가운데에는 물속에서 머리를 내놓은 악어처럼 생긴 조그만 섬이 보이고 그 너머로 호숫가에 있는 부소담악 병풍바위가 보인다.

금방 주차장에 도착하여 차를 세운다.

부소담악은 주차장에서 밑으로 내려가야 한다.

주차장 반대편에는 황룡사라는 절이 있고 그 위로 큼직한 산이 있는데 578.8m의 고리산이다. 이 산은 지도에는 고리 환(環)자를 써서 환산이라고 표시되어 있다.

7. 가을을 담은 호수

주차장에서 길을 건너 내려가니 부소담악 표지판이 나타난다.

표지판을 살펴본 후 길을 따라 몇 안 되는 동네를 지나 조금 가면, 왼편으로 호수가 보이고 데크 길이 나온다.

왼쪽 호수 너머로는 사람이 다니기 좋은 높이의 동글동글한 산[1])에 울긋불긋 단풍이 들어 있고, 물가로는 갈대가 은빛 머리칼을 날리고 있어 보기가 좋다.

날씨는 쌀쌀한데, 데크 길로 들어서기 전에 한 젊은 처자가 노점을 차려놓고 손을 호호 불면서 볶은 과일로 만든 시리얼을 팔고 있다.

요새 젊은이들 같지 않아 참으로 기특하다.

이따 돌아올 때, 하나 사 줘야겠다.

데크 길을 따라가다 보니 주차장에서 약 600미터 정도 되는 곳에 장승이 서 있는 장승공원이 나타난다.

부소담악 갈대

---

1) 미국 콜로라도 대학 정책학 교수인 Peter deLeon의 동료이자 부인인 Dr. Linda deLeon이 한국을 방문했을 때 이런 산을 보고서 아름답다고 감탄하면서 'human sized mountain'이라고 했는데, 나는 이 말이 딱 들어맞는 말이라고 생각한다.

옥천 부소담악

장승공원에는 이름만 그러할 뿐 장승은 그리 많지 않지만, 그래도 나무로 만든 장승들은 각각 자신만의 위용(?)을 익살스럽게 뽐내고 있다.

여기에서 다시 데크로 된 계단을 오르면 추소정이라는 정자가 나온다.

이 정자는 일종의 전망대이다.

전망대에서 바라보는 가을을 품은 경치는 정말 멋지다.

공기가 맑아서인지 너무나도 깨끗하다

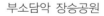
부소담악 장승공원   부소담악 추소정

7. 가을을 담은 호수

부소담악 양지말골

　이 추소정 아래에서부터 능선을 따라 6~700미터 길게 이어지는 길쭉한 절벽 위 길을 따라 끝까지 가본다.

　이곳이 바로 부소담악이다.

　부소담악의 왼쪽 호수에는 부소무니 마을이 물에 잠겨 있고, 오른쪽 호수 저 너머에는 양지말골의 마을들이 보인다.

　한 폭의 그림이다.

8. 옛날은 옛날이고, 지금은 지금이다.

2022년 11월 4일(금)

추소정 아래로 내려가서 다시 부소담악으로 오르면 옛 추소정 정자가 있고, 이 반도의 끝으로 가는 길은 약 700미터의 오솔길이지만 좌우에 물이 있고 경치가 사뭇 좋다.

이 길쭉한 부소담악은 병풍바위로 둘러싸여 있는데, 반도의 양쪽 면에 한 1~2미터 정도만 바위들이 보인다.

지금은 대청댐 준공으로 산의 일부가 물에 잠겨 마치 물 위에 바위가 떠 있는 형상이어서 또 다른 아름다움을 보여주고 있지만, 만약 대청호가 생기지 않았다면, 어떠했을까?

아마도 대청호가 생기기 이전에는 이보다 훨씬 큰 규모의 기암절벽을 이루고 있었을 것이니 병풍바위라는 이름답게 훨씬 더 근사했으리라!

부소담악(https://tour.chungbuk.go.kr/www/contents.do?key=69)

부소담악: 병풍바위의 일부

좀 더 가물면, 저 병풍바위가 조금이라도 더 수면 밖으로 나와 충북
나드리(https://tour.chungbuk.go.kr/www/contents.do?key=69)에서 따
온 왼쪽 사진처럼 더 잘 보일 거라는 생각이 든다.

가물었을 때 다시 한 번 왔으면 싶다.

그렇지만 어찌되었든 옛날은 옛날이고, 지금은 지금이다. 비록 옛것
을 보지 못해 섭섭하기는 하지만, 지금의 경치도 너무 좋다.

정말 잘 왔다는 생각이 든다.

다시 되돌아 나오며 햇빛에 반사되는 빨간 단풍 사이로 보이는 양지
말골 쪽으로 사진을 찍는다.

아~. 참으로 아름다운 경치이다!

우암 선생이 이곳을 와서 보고는 금강산을 축소해 놓은 것 같다 하
여 소금강이라 불렀다는데, 과연 그런 칭송을 들을 만하다.

참고로 옥천군 홈페이지(https://oc.go.kr/tour/contents.do?key=383

부소담악 병풍바위 일부   부소담악 단풍

2&.)에 따르면 "2008년 국토해양부가 선정한'한국을 대표할 만한 아름다운 하천 100곳' 중 하나"라 하니. 이 글을 읽으시는 분들께 꼭 한 번가 보라고 권하고 싶다.

대전이 고향이면서도 이 가까운 곳에 이렇게 아름다운 곳이 있다는 것을 모르고 와보지 않았다니! 나도 정말 '참!'이다.

정말 다시 한 번 들르고 싶은 곳이다.

부소담악에서 나와 차를 몰고 그래도 아쉬움이 남아 지도에 난 길을 따라 북쪽으로 가며 오른쪽 부소담('부소담악'에서 산을 뜻하는 글자 '악'을

8. 옛날은 옛날이고, 지금은 지금이다.

부소담악

뺐으니 저 호수는 대청호의 일부이지만, '부소담'이라 불러도 될 것이다.)을 감
상한다.

　길이 끝나는 곳까지 가면서 보는 경치는 그저 아름답다. 물론 부소

부소담악

옥천 부소담악

부소담악 단풍

부소담악 병풍바위

8. 옛날은 옛날이고, 지금은 지금이다.

부소담악 북쪽 길

담악의 병풍바위는 없지만, 소박하게 물든 올망졸망한 산들이 파아란 물과 하늘을 배경으로 참으로 조화롭다.

그나저나 이제 배를 채워야 한다. 벌써 1시가 가까워진다.

이제 되돌아 나와 옥천으로 향한다.

때는 가을이니 추어탕이 제격이라 생각하여 <옥천 추어탕> 집으로 간다.

문은 분명히 열려 있는데 사람이 없다.

무슨 급한 일이 있어 나간 모양이다.

할 수 없이 나와 소정저수지 옆의 <장인우렁쌈밥> 집으로 들어간다. 비교적 넓은 공간에 식당이 깨끗하다

창밖으로는 소정저수지가 보인다.

옥천 부소담악

옥천 소정저수지

수육우렁쌈밥을 시킨다. 쌈 채소와 함께 우렁과 된장은 물론 수육도 많이 나오고, 반찬도 정갈하고 맛있다. 잘 먹는다.

다시 나와 소정저수지를 한 바퀴 차로 돌아 지용문화공원 쪽으로 간다.

차를 세워 놓고 육영수 여사가 나고 자랐다는 육영수 여사 생가로 간다.

이 집은 원래 허물어져 터만 남은 것을 복원한 것으로 충청북도 기념물 123호로 지정되었다.

육 여사 집안이 옥천 지역에서는 이름난 명문가라서 이 집은 '교동집'으로 불렸다는데, 전형적인 충청도 상류 주택 양식이라 한다.

여기서 옥천 향교 옆의 육영수 여사 생가를 보고, 그 옆 골목의 옥천 향교로 들어가 본다.

그리곤 나와서 정지용문화공원 쪽으로 가며 옥천 전통문화체험관으

8. 옛날은 옛날이고, 지금은 지금이다.

로 들어가 본다.

이곳은 인터넷(https://tradition.oc.go.kr/introduce.asp?location=002)
으로 예약하면 전통 체험과 한옥 숙박이 가능하다고 한다.

주중에는 4인실 1박 50,000원이고 주말에는 70,000원이다. 세미나실
은 3시간에 5만 원이니 작은 학술모임에서 이용하면 좋을 듯하다.

지용문화공원에서 조금만 더 내려가면 정지용 생가와 함께 문학관이
나온다.

임실 호국원에 계신 아버님 산소에 들렀다 가야 해서 이들은 대충
보고, 임실 호국원으로 향한다. 호국원에 들렀다가 다시 부산으로 직행.
부산에 도착하니 밤 10시가 다 되어간다.

임실 호국원

<청주 근교: 법주사, 생거진천자연휴양림, 농다리>

천천히 쉬엄쉬엄 가세나!

9. 한옥에서 하룻밤을

2021년 8월 20일(금)

서울에서 하부(下釜)하는 길이었다.

보은 선산의 사우당 할아버지 묘소에 성묘를 하고 나오니 늦은 오후이다. 저녁을 먹어야겠다 싶어 맛집을 찾아보니 속리산 드는 길에 능이버섯이 유명하다는 <복해가든>이 있다.

<복해가든>으로 차를 몰고 가 보니 널찍한 주차장이 있고, 그 뒤로는 한옥이 보이는데 이 한옥의 사랑채가 <복해가든>이다.

<복해가든>에서 능이버섯탕을 주문하였는데, 시간이 조금 걸린다 하여 <복해가든> 뒤의 한옥으로 가 본다.

속리산

속리산 선병우 가옥

식당으로 쓰고 있는 사랑채 뒤에는 길게 늘어선 행랑채가, 그리고 그 뒤로는 잔디밭이 넓게 펼쳐 있고, 안채가 나온다.

안채의 대청마루 위에는 '선을 행하는 것이 가장 큰 즐거움'이라는 뜻의 위선최락(爲善最樂)이라는 편액이 걸려 있다.

한옥을 둘러보니 주인 여자가 나온다.

민박이 가능한가 물으니 마침 이 안채 옆의 안사랑채가 비어 있다고

선병우 고가 안채

한다.

지금부터 저녁 먹고 비 내리는 밤길로 부산까지 가는 거보다 여기서 그냥 자고, 내일 오랜만에 속리산 법주사나 한 바퀴 휘 둘러보고 내려가기로 결정한다.

다시 나와 저녁을 먹고는 안사랑채로 짐을 옮긴다. 짐이라고 해봐야 가방 하나뿐이지만……

9. 한옥에서 하룻밤을

선병우 고가 안사랑채: 삼성재

안사랑채에는 삼성재(三省齋)라는 편액이 걸려 있다. 삼성재라, 하루 세 번 반성하라는 뜻의 당호이다.

삼성재에서 내다 본 경치는 왼쪽에 안채가, 오른쪽에 행랑채가 그리

선병우 고가 안채 앞마당

속리산 선병우 가옥

고 눈앞으로는 시원한 앞마당이 길게 펼쳐 있고, 마당 저쪽 끝에는 가꾸
어 놓은 나무들이 보기에도 좋다.

다음날 아침 일찍 일어나 세수를 하고 마루에 앉아 안채 앞마당을
내려다본다.

하늘은 흐리고 비가 간간이 뿌리는데, 안채 앞마당은 촉촉함 속에
그윽하고도 여유롭다.

우선 공기도 좋고, 기분이 상쾌하다.

도시의 바쁜 사람들은 이런 때 힐링(healing)이라는 말을 쓴다.

왜 힐링이라는 말을 쓰는지?

힐링이란 말은 우리말로 '치료', '회복' 등의 뜻을 가지고 있는데, 아
무래도 '치료'나 '회복'이라는 말보다는 '힐링'이라는 미국말이 어지럽고
바쁜 세상을 벗어나 여유로움을 찾아 그윽함을 즐김으로써 자신을 치유
한다는 의미로 쓰는 듯하다.

그런데 정말로 미국 사람들도 이런 의미로 힐링이라는 말을 쓰는지
는 모르겠다.

어찌되었든 모든 복잡한 것을 떠나서 그저 아무 생각 없이 그냥 빈
둥거림으로써 마음이 넉넉해지기는 한다.

사람들은 원한다. 계속 이랬으면 좋겠다고!

그렇지만 이런 곳에서 계속 살다 보면, 이런 환경에 익숙해져서 여
유로움과 넉넉함은 금세 잊어버리고는 여기에서의 생활 자체에서 오는
여러 문제들이 부각되고 그러면 정신적으로 복잡하고 어지러울 수 있을
지는 모르겠다.

사람들은 환경에 익숙해지면 곧잘 그 좋은 점을 잊어버리는 법이니

까. 남의 떡이 커 보인다고 하지만, 그 떡이 내 것이 되면 다시 작아 보이는 게 세상의 이치이다.

그러니 한 달, 아니 한 계절에 한 번 정도는 이런 곳에서 하루 정도를 보내는 것이 좋을 듯하다.

우리가 하루 묵은 선 병우 고가는 1940년대에 지은 집이라는데, 충청북도 문화재자료 5호로 등록되어 있다고 한다.

우리가 묵은 안사랑채와 주인이 살고 있는 안채는 길게 늘어선 행랑채에 가려 아늑하고 여유로운 느낌을 주지만, 식당으로 쓰고 있는 사랑채는 어수선하기 짝이 없다.

식당을 하지 않고 잘 가꾸어 놓으면 훨씬 운치 있고 아름다운 가옥이 될 텐데……, 좀 아쉽다.

한편 주차장에서 다리를 건너면 국가민속문화재 134호인 우당고택(愚堂古宅: 선병국 가옥)이 나타난다.

우당고택은 보성 선 씨 종가댁으로 우당 선병국(宣炳國)의 할아버지인 선영홍(宣永鴻) 씨가 구한말인 1903년(고종 29년)에 짓기 시작하여 일제강점기인 1925년에 완공된 한옥으로 그 당시 국내에서 가장 컸던 민간가옥이라 한다,

이 집을 지은 선영홍 씨는 고흥 사람으로 당시 돈을 많이 번 5대 갑부 중의 한 분이었다는데, 풍수지리가를 찾아가 집을 지을 명당 터를 잡은 곳이 이곳이라고 한다. 곧, 이곳은 풍수지리에 따르면, 물 위에 핀 연꽃 보양의 연화부수형 자리라 한다.

이 집은 당시 134칸 규모의 가옥과 방앗간 등으로 구성되어 있는데, 당대의 최고 목수였던 궁궐 목수 방대문 도편수가 지었고, 백미 일만 석

이 공사비로 들어갔다고 한다.

조선시대 민가는 99칸 이상 지을 수 없었지만, 이제 조선의 시대는 가고 일제강점기였으니 100칸 넘는 집을 지을 수 있었던 거다.

이 사실만 하더라도, 우린 134칸의 큰 집에 감탄하기보다는, 세월의 흐름에 따른 변화와 함께 왠지 쓸쓸해진다.

구시대는 가고 새로운 시대가 열리건만, 나라는 거털나 일본놈들의 식민지가 되었음을 생각해보면 그럴 수밖에 없는 것이다.

우당고택 주변 풍경은 한옥과 솔 등이 어울려 분위기가 그윽하니 좋다. 그리고 최근에는 우당고택에서도 하룻밤 민박이 가능하다고 한다.

그렇지만, 굳이 하룻밤 숙박을 하지 않더라도 집 주변만 둘러보아도 좋다.

하룻밤 잘 쉬고 나와 이제 속리산으로 향한다.

9. 한옥에서 하룻밤을

10. 품위 있는 솔

2021년 8월 21일(토)

속리산으로 가다 보면 얼마 안 가 정이품 소나무가 나타난다.

이 소나무는 천연기념물 제103호로서, 조선 세조 10년(1464년) 임금이 속리산 법주사로 행차하시는데, 나무가 연(輦: 임금이 타는 가마)에 걸릴 듯하여 "연이 나뭇가지에 걸리겠구나!"라고 말씀하시자, 소나무가 가지를 위로 번쩍 치켜들어 가마가 지나갈 수 있도록 했다 한다. 이에 세조는 이 나무의 충성심을 갸륵히 여겨 정이품 벼슬을 내리고 조선 왕조 내내 왕실이 이 나무를 보호했다는 전설이 내려오고 있다.

그런데 정말로 이 소나무가 가지를 번쩍 들어 올린 것이 충성심의

정이품 소나무

속리산 법주사

발로였을까? 혹시 세조가 "이 나무를 베어버려라. 오가는 데 걸리적거리니!"라는 말을 할지 모르겠다 싶어 무서워서 발발 떨며 가지를 번쩍 치켜든 건 아닐까?

어찌되었든 이런 까닭에 이 나무는 '정이품소나무'라는 기똥찬 이름을 가지게 되었다는데, 이곳 사람들은 '연거랑이 소나무'라고 부르기도 한다.

이 나무는 나이가 600살이 훨씬 넘는다는데, 높이가 16.5m, 둘레가 5.3m, 가지 길이가 동서남북 각각 약 10m로, 마치 우산을 편 모양의 단정하고 아름다운 모습이었는데, 1993년 강풍으로 서쪽 가지 일부가 반토막 났다고 한다.

세조가 이 나무 밑을 지날 때 나뭇가지가 걸릴 정도로 큰 나무라 하니, 그리고 정이품 벼슬은 나무의 충성심이 갸륵한 것도 있겠지만, 나무가 크고 아름다웠기에 내려준 벼슬이라 볼 때, 아마도 800살이 넘었을 거라고 추정하기도 한다.

정이품 소나무가 물론 처음은 아니다.

옛날에도 이 밑으로 지나갔지만, 먼 옛날이라 기억은 가물가물하다.

어찌되었든 이 소나무는 비록 서쪽 가지가 반이 날아갔어도 꿋꿋이 품위를 지키고 있고 자태가 아름다워 정이품 벼슬을 받을 만하다.

이 소나무 맞은편엔 훈민정음을 주제로 하는 공원이 조성되어 있는데 정이품송공원이라 부른다.

이 공원을 훈민정음을 주제로 만든 이유는 훈민정음을 만들 때 지대한 공헌을 한 신미대사가 보은 출신이었기에 이를 기념하기 위한 것이라 한다.

10. 품위 있는 솔

법주사 경내

하늘은 흐리고 비가 촐촐히 내려 정이품송공원은 들리지 않고 그냥 차를 몰고 법주사로 간다.

법주사라는 절 이름은 신라 진흥왕 14년(553년) 때 창건한 절인데, 의신조사가 천축으로 구법 여행을 떠났다가 흰 나귀에 불경을 싣고 돌아와서 머물렀기 때문에 '부처님의 법이 머무는 절'이라는 뜻이 법주사라 이름지었다고 한다.

법주사 안에는 많은 국보급 보물들이 있고, 또한 속리산이 그 이름 그대로 세속을 벗어난 채 그 뒤에서 은은히 버티고 있어 정말 아름다워 언제나 사람들이 많이 찾는 곳이다.

정일품송에서 10분쯤 들어가 주차장에 차를 세운다. 내려서 슬슬 걷는다. 능인교를 지나 법주사 절민박집(템플스테이의 우리말)인 청심당이던가 앞으로 걸어간다.

그리곤 법주사로 들어가기 전 다시 나와 법주사 벽암대사비 쪽으로 걷는다. 날은 흐리지만 간간이 비가 뿌리는 가운데 공기는 청량하고 기분은 상쾌하다.

벽암대사비는 조선 중기 승려인 벽암선사의 행적을 기리기 위해 세운 비석이다.

소나무

벽암선사는 보은 출신으로 임란 때 해전에 참여하였고, 인조 때 남한산성 축성을 총 지휘하였으며, 병자호란 때 임금이 남한산성으로 피신하자 승려 수천 명을 이끌고 호남의 군사들과 함께 적들과 싸운 분이라니 그 행적을 기릴 만하다.

금강문으로 가기 전 수성교라는 다리 앞엔 커다란 소나무가 마치 미인이 쭉

10. 품위 있는 솔

빠진 다리를 자랑하
듯 자태를 뽐내며
서 있다.

　수성교를　지나
금강문으로 들어서는
데 금강문 한가운데
에 불우이웃돕기 모
금함이 턱 하니 자
리 잡고 있는데, 코
끼리를 탄 보현보살
과 사자를 탄 문수
보살이　내려다보고
있다.

　문밖으로는 천왕
문과 그 너머로 팔
상전 지붕이 보이는
데　천왕문　앞에는
커다란　두　그루의

법주사 금강문

키 큰 소나무가 꼿꼿이 서서 지키고 있다.

　국보급 보물들보다도 난 이런 자연이 좋다.

　이 소나무들도 앞으로 몇백 년 지나면 정이품 소나무처럼 우아하고
멋있게 변해 있을지도 모른다.

11. 미륵불, 빨리 오실 수 없나?

2021년 8월 21일(토)

금강문을 나서서 천왕문으로 가지 않고 왼쪽 마애여래좌상 쪽으로 간다.

당간지주를 지나니 국보 제64호인 석련지(石蓮池)가 전각 안에 모셔져 있다.

요건 큰 화강암 바위를 쪼아서 만든 연꽃 모양의 작은 못인데, 신라시대에는 여기에 물을 담아 연꽃을 띄워 놓았을 것이다.

높이는 1.95m이고, 둘레는 6.65m인 이 석련지는 조각의 우수함이나 조형의 세련미를 볼 때 신라시대 석조공예의 진수를 보여주는 기가 막

석련지

마애여래좌상 옆의 큰 바위들

힌 걸작이다.

여기서 조금 더 나아가면, 커다란 바위들이 몇 개 모여 있는 것을
볼 수 있다.

아니, 그런데 왜 이렇게 큰 바위들이 여기에만 모여 있지?

참으로 신기하다.

이 큰 바위를 살펴보면, 바위벽에 새겨 놓은 앉아 계신 부처님을 만
날 수 있다. 보물 제216호인 마애여래좌상이다.

마애여래좌상은 커다란 바위에 새겨 놓은 우리나라에서 보기 드문
자세인 연꽃 의자에 앉아 있는 불상이다. 높이는 6m이고, 돋을새김으로
조각한 미륵불(彌勒佛)이다.

이 분이 미륵불이란 걸 우찌 알았느냐고?

고건 조각 수법이 미륵불을 닮았기 때문이지. 곧, 1350년(충정왕 2)
에 제작된 미륵하생경변상도(彌勒下生經變相圖)의 불상 표현과 친연성

84

마애여래좌상

이 강하기 때문에 미륵불이라고 보는 것이다(https://ency korea.aks.ac.kr/Arti cle/E0022723).

불상 오른쪽 바 위에는 짐마차를 끄 는 말과 말 앞에 꿇 어앉은 소를 새겨 놓았는데, 이는 의신 조사가 불경을 구하 여 실어 오는 모습 과 소가 불법을 간 구하는 모습이라서 법주사 창건설화를 나타내는 암각화라 할 수 있다.

여기에서 오른쪽 으로는 커다란 금빛으로 휘황찬란한 부처님이 서 있다. 금동미륵대불이 다.

이 자리에는 원래 통일신라시대에 진표율사가 조성한 금동미륵대불 이 있었는데, 흥선대원군이 경복궁 충건 비용을 마련하기 위해 이를 몰 수해버려서 없어졌다고 한다. 이후 일제강점기 때 조각가 김복진이 시멘

11. 미륵불, 빨리 오실 수 없나?

트로 만든 불상이 있었으나, 안전 문제로 1990년대에 이를 해체하고 그 형태대로 새로운 청동 불상을 만들고 개금불사를 통해 현재의 모습을 갖춘 금동미륵대불이 탄생한 것이다.

약 8m의 화강암 기단 위에 세워놓은 약 25m 높이의 청동대불은 국내 최대 규모이며, 불상에 들어간 청동은 약 160톤이고, 이 불상에 도금된 금은 2미크론 두께로 연면적 900m^2 인데, 황금 30kg이 들어갔다고 한다.

이 비용은 3만여 불자들의 시주금으로 충당되었으며, 공사 인원은 연 4,500여 명이었다고 한다.

어쩐지, 옛날에는 이리 번쩍이지 않았던 것 같은데……

이 불상의 점안식 과정에서 세 차례에 걸쳐 하늘이 열리며 오색 서광이 비치고, 흰 광선이 미륵불로부터 치솟았

금동미륵대불

속리산 법주사

다고 한다.

　이 미륵대불은 팔상전과 함께 법주사의 상징이 된 불상이라 할 수 있다.

　현대 불교 조각을 대표하는 이 불상은 석실이 있는 기단부 위에 세워져 있는데, 석실 내에는 미륵보살이 머물고 있다는 도솔천(불교의 우주관엔 33천이 있는데, 그 중 하나로서 미륵보살이 지상에 내려갈 때를 기다리며 머무르고 있는 곳)을 형상화한 용화전이 있으며, 미륵반가상을 모신 불전이 있다.

　미륵불은 법상종(法相宗)의 주존불(主尊佛)로 석가모니가 입멸한 후 56억 7000만 년이 지나면 오셔서 용화수(龍華樹) 나무 아래에서 세 번의 설법을 통해 이 세상을 구원하신다는 부처님이다.

　헌데, 56억 7000만년을 기다려야 한다고?

　세상은 점점 더 혼탁해지는데, 좀 빨리 오실 수는 없나? 오늘도 고통에 시달리는 민중은 미륵을 목 빠져라 기다리는데, 요걸 아신다면 좀 빨리 올 수도 있지 않을까?

　법주사는 한마디로 미륵 도량이다.

11. 미륵불, 빨리 오실 수 없나?

12. 여기도 보물, 저기도 보물…….

2021년 8월 21일(토)

이제 다시 천왕문을 통해 부처님의 사리를 모시고 있는 팔상전으로 간다.

팔상전 오른쪽으로 보이는 팔작지붕의 범종각이 근사하다.

이 건물 안 좌측에는 목어, 뒤쪽에 운판, 중앙에 범종, 오른쪽에 법고가 있다.

목어는 물속 생물을 구제하거나 게으른 스님을 경책하기 위해 사용되기도 하는데, 이의 변형이 목탁(비록 둥글게 변하였지만, 목탁은 물고기의 긴 입과 양끝의 둥근 눈이 고기 형태를 띠고 있다)이라고 한다.

법주사 범종각

속리산 법주사

88

속리산 작은 문장대

운판은 본디 부엌이나 식당에 걸어놓고 식사 때를 알리기 위해 사용되었으나, 나중에 사용하는 의식용 도구가 된 것이다. 이는 전체적으로 구름 모양을 하고 있어, 조석 예불 때 날짐승을 제도하기 위해 친다.

법고는 조석 예불 전에 크게 치는데, 이때 두 개의 북채를 들고 마음 심(心)자를 그리며 두드린다. 법고의 소리는 장중하고 무거워 부처님의 사자후를 상징하며, 축생을 제도하기 위해 친다.

한편 범종은 원래는 대중을 모으고 때를 알리기 위해 쳤으나, 점차 조석 예불이나 의식을 치를 때 치게 되었고, 33천의 모든 중생들을 제도하기 위해서 보통 33번 치는데, 수행자가 입적 시에는 108 번뇌를 벗어나 열반에 들어가라는 의미로 108번을 치기도 한다.

이 종각에 있는 범종은 4천근의 동으로 만든, 높이 212.5cm, 상단

지름 82cm, 하단 지름 140cm의 청동종인데, 문화재청에 따르면 범종의 무늬가 약하게 표현되어 있어 주조 기법이 뛰어난 편은 아니지만 새긴 글(銘文 명문)이 있어 시주자와 당시 주지, 제작자, 제작연대, 사찰명을 알 수 있어 보존 가치가 높다고 한다.

팔상전은 우리나라에 현존하는 유일한 5층 목조탑으로 국보 제55호로 지정되어 있다. 팔상전(八相殿)이라는 말의 '팔(八)' 때문에 팔층목탑이라고 우기지 마시라!

이 탑은 법주사 창건 당시 의신대사가 처음 지었다고 전하는데, 정유재란 때 불타 없어진 것을 사명대사와 벽암대사에 의해 인조 2년(1624년) 다시 복원된 것이라 한다.

이 탑 안에는 사방 네 벽에 두 폭씩 그림 여덟 폭이 있는데, 석가여래의 일

팔상전

속리산 법주사

생을 나누어 표현한 것이라 한다. 이 그림 팔상도 때문에 이 탑의 이름이 팔상전이 된 것이다.

팔상전을 지나면, 쌍사자석등 뒤로 대웅전이 나타난다.

이 쌍사자석등은 국보 제5호로 지정된 석등이다.

이 석등은 널따란 8각의 바닥돌 위에 사자 두 마리가 서로 가슴을 맞대고 뒷발로 아랫돌을 디디고 서 있는데, 앞발과 주둥이로는 윗돌을 받치고 있는 모습이며, 사자의 머리 갈기와 다리와 몸의 근육 등이 사실적으로 표현되어 있는 걸작이다.

한편 쌍사자석등과 대웅전 사이에 있는 석등은 보물 제15호인 사천왕석등인데, 쌍사자석등과 함께 통일신라시대를 대표하는 석등이다.

3.9m 높이의 사천왕석등의 화사석(火舍石: 석등의 불 밝히는 부분)은

쌍사자석등, 사천왕석등, 대웅전

12. 여기도 저기도 보물, 보물…….

8각으로 네 면에 창이, 나머지 면에는 사천왕상이 새겨져 있다.

요 뒤에 있는 대웅보전 역시 보물이다. 이 대웅전은 정면 7칸 측면 4칸의 거대한 건물로서 대웅전에서는 흔하지 않은 중층 건물인데, 보물 제915호로 지정되어 있다.

이 안에는 보물 제1360호인 소조비로자나삼불좌상과 보물 제1259호인 괘불탱(掛佛幀: 부처를 크게 그려 걸어 놓은 그림)과 보물 제848호인 신법천문도병풍, 그리고 초서체로 쓴 8폭의 선조대왕 어필 병풍(목판본)이 있다.

소조비로자나삼불좌상(塑造毘盧遮那佛坐像)은 가운데에 비로자나불, 왼쪽에 아미타불, 오른쪽에 석가모니불의 삼존불로서 조선 후기인 1626년에 조성된 것이다.

괘불탱은 세로 길이가 11.5m에 이르는 거대한 화면에 보살 형태의 본존을 단독으로 그린 탱화인데, 1766년에 두훈 등 13명의 화승이 제작한 것이라 한다.

신법천문도병풍은 조선 영조 때 관상감에서 황도 남북의 별자리를 그린 것으로, 높이 183cm, 너비 451cm의 팔 폭 병풍이다.

한편 쌍사자석등 왼편에 있는 원통보전은 보물 제916호이다.

한편 원통보전 안에는 보물 제1361호로 지정된 목조관음보살좌상이 있다. 앉은 키 235cm, 너비 147cm의 목조관음보살좌상은 원통보전 안에서 자비로운 미소를 띠고 있다.

법주사는 여기도 보물, 저기도 보물……, 보물들이 많기도 하다. 보이는 것들이 모두 국보 아니면 보물이니.

속리산 법주사

13. 하룻밤 쉬기 좋은 곳

2020년 10월 30일(화)

오늘은 서울 가는 길에 진천에 들른다.

진천의 생거진천자연휴양림에 가기 위해서다.

여기에서 생거진천(生居鎭川)이라는 말이 앞에 붙은 것은 '살아 있을 때에는 진천에서 사는 게 좋다'라는 뜻인데, 예로부터 수해 한해가 없는 천혜의 자연환경과 비옥한 농토에서 쌀이 많이 나고 후덕한 인심 때문에 붙여진 이름이다.

옛날부터 '생거진천 사거용인'이라는 말이 전해지듯이, 생거진천의 대귀는 사거용인(死巨龍仁)이다. 곧, 용인은 산세가 순후하여 사대부가들이 산소를 많이 썼기에 '죽어서는 용인에 묻히는 게 좋다.'는 뜻이다.

서울의 답답하고 찌든 공기에서 벗어나 하루쯤 자연휴양림에 들러

백곡저수지

휴식을 취하는 것도
좋은 일이다. 비록
살기 좋은 진천에서
살진 않더라도.

아무것도 안 하
고, 그냥 하루쯤 빈
둥거리는 것도 현대
인이 취해야 할 덕
목이라 생각하고 차
를 몬다.

진천 톨게이트를
나와 진천 읍으로
가 점심부터 해결한
다.

그리곤 내비게이
션이 가르쳐주는 대
로 차를 몰아 가다
보니 백곡저수지가
나온다.

백곡저수지

백곡저수지 가기 전에는 생거진천종박물관이 있다.

종박물관에 들어가기 전 우리를 맞는 것은 생거진천대종각이라는 우
아한 종각 속에 매달아 놓은 큼직한 종이다.

멋들어진 종각과 그 속의 커다란 종이 잘 어울린다.

진천 생거진천자연휴양림

생거진천종박물관 입구

새벽녘 저 종이 울리면 잠든 세상이 기지개를 켜고 일어날 것이다.

절에선 종소리를 시작으로 목어, 운판, 법고를 울려 물속과 하늘과 땅의 모든 중생(衆生)들을 깨워 새로운 시작을 알린다.

2005년 개관한 종박물관 입구는 천정이 종 모양의 유리로 되어 있어 특이하다.

들어가니 한국의 범종을 비롯하여 대문에 매다는 작은 종, 추녀에 매다는 풍경(風磬), 악기로 쓰이는 종, 두부장수가 흔들며 자신을 알리는 종, 마치 방울을 연달아 이어놓은 듯한 종 등 각종 종뿐만 아니라, 종을 만드는 과정을 보여주는 모형도 있고, 시대별로 정리한 세계의 종에 관한 설명도 있다.

진천종박물관 입장권은 5,000원인데, 지역화폐로 돌려주기 때문에 공짜나 마찬가지이다. 또한 덤으로 그 옆에 있는 생거판화미술관도 함께 볼 수 있으니 한 번 들러볼 만하다.

13. 하룻밤 쉬기 좋은 곳

공부는 이만 하면 되었고, 이제 그 옆의 백곡저수지로 간다.

저수지 물가의 나무들은 아직 단풍으로 완전히 물들진 않았지만, 잔잔한 물과 함께 경치가 그만이다.

여기에서 북쪽 생거진천자연휴양림으로 가는 길은 명암리로 통하는 명암길인데, 이 길을 가면서 정말 잘 익은 가을을 찍는다.

오랜만에 보는 맨드라미도 찍고, 노란 은행나무도 찍고, 백일홍도 찍고, 단풍나무도 찍는다.

여긴 벌써 단풍이 한창이다. 역시 가을은 단풍의 계절이다.

맨드라미   은행나무

진천 생거진천자연휴양림

명암길의 꽃과 단풍

13. 하룻밤 쉬기 좋은 곳

생거진천자연휴양림의 단풍

생거진천자연휴양림은 깊은 산속에 박혀 있지만, 그래서 조용하고 아늑하고, 경치도 좋고, 슬슬 걸을 수 있는 산책길도 잘 구비되어 있어 정말 좋다.

말이 필요 없다.

14. 앞이 안 보일 정도로 쏟아 붓는 빗속을 뚫고

2024년 7월 7일(일)

조카 결혼식이 있어 서울에 갔다가 내려가는 길에 진천 농다리에 들른다.

마침 장마철인지라 비가 많이 올까 걱정했는데, 다행히 비는 밤에만 내린 모양이다.

새벽에 나오니 상쾌하다. 이곳이 아차산 남쪽 기슭인 아치울이어서 그런지 무덥거나 후덥지근하지 않고 공기가 맑고 선선한 것이 참으로 좋다. 대낮에는 어떨지 모르지만.

차를 몰고 진천 농다리 근처의 식당에서 양평 해장국을 먹고 농다리를 보고 부산으로 내려가려는 것이다.

지난 번 왔을 때 농다리를 보지 못하였기에, 이번에 농다리도 건너 보고, 하늘다리와 새로 만든 미르다리도 건너면서 슬슬 산책을 하며 운동을 대신하면 좋겠다 싶었던 것이다.

고속도로로 음성 가까이 갈 때까지는 하늘만 검게 찌푸렸을 뿐 비도 안 오고, 산책하기엔 참 좋은 날씨였다.

그런데 웬걸, 음성을 지나면서부터 앞이 안 보일 정도로 장대비가 쏟아지는 거였다. 호우주의보가 내렸다고 한다.

안 되겠다, 그냥 부산으로 가는 게 낫겠다 싶어 내비게이션을 부산 집으로 맞춘다.

그런데 조금 있으니 비가 드물어진다. 그저 간간이 뿌릴 뿐이다.

요 정도 비면 농다리를 슬쩍 보고 가도 될 거 같다. 다시 내비게이

농다리

진천 농다리

선을 진천 농다리로 맞춘다.

천천히 진천 IC로 나가 진천 농다리 쪽으로 가다가 해장국집에 들른다. 아침은 먹어야 하는 까닭이다.

시간은 여덟 시가 채 안 되었는데, 비는 거의 그치고, 가끔 몇 방울씩 떨어질 뿐이다.

아침을 간단히 먹으면서

"이쪽으로 오길 잘 했지? 그냥 갔다면 후회할 뻔 했어."

"그러게, 하늘이 하는 일은 알 수가 없다니까. 아까는 그렇게 장대비가 쏟아지더니만."

다시 차를 타고 농다리로 향한다. 내비게이션은 약 9km 남았고 농다리로 향하는 차가 현재 24대 있다고 표시해준다. 거, 참 내비게이션도 엄청 발달했네~. 농다리로 향하는 차가 몇 대인지도 알려주고.

그런데, 조금 가다보니 빗줄기가 굵어지면서 또다시 장대비가 내린다. 천천히 속도를 줄이면서 농다리 입구로 들어선다.

이제는 앞이 안 보일 정도로 비가 쏟아 붓는다.

그럼에도 주차장엔 버스며, 자가용이며 차들이 들어선다. 아마도 일요일이어서 농다리 관광을 예약해 놓은 차들일 것이다. 그러니 비가 이리 쏟아지는데도 빗속을 뚫고 온 것 아니겠는가!

차를 세우려다 보니 내비게이션은 버스 등 대형 차량을 세워 놓는 주차장을 지나 농다리가 있는 강물 쪽으로 몇 백 미터 더 가도록 되어 있어 멈추려던 차를 다시 운전하여 내려간다.

강인지 개울인지 황톳물은 콸콸 흐르는데, 나중에 지도를 찾아보니 백곡천이다.

14. 앞이 안 보일 정도로 쏟아붓는 빗속을 뚫고

농다리 주차장

백곡천과 나란히 난 길 저쪽 편에 주차장이 있고 주차한 차들이 보인다.

그러니 이쪽에 여유가 있다면 입구로 들어와 바로 마주하는 커다란 주차장에 세우지 말고, 강변 쪽으로 4~500미터 더 내려와 이곳에 세우면 좀 더 강가에 가까워 좋다.

주차장으로 들어가니 오른쪽엔 차들이 많이 주차해 있는데, 왼편은 텅 비어 있다. 장애인 주차장이다.

어~, 그런데, 장애인주차구역 외에 초록색으로 표시된 주차 구역이 그 맞은편에 마련되어 있다. 저건 무엇인고?

일단 들어가 보자. 들어가서 보니, 이건 환경친화차량을 세우는 주차구역 표시이다. 아이구, 잘 되었다. 우리 차가 마침 수소전기차량이니 이곳에 세우면 되겠다 싶다.

기후변화가 심하니 탄소가스 배출을 줄이기 위해서라도 친환경차를 많이 보급해야 하는데, 그러기 위해서는 이와 같은 주차 구역도 많이 만들어 놓아야 한다. 진천군이 참 잘 한 일이다!

수소전기차 덕으로 농다리와 가장 가까운 곳에 차를 세웠으나, 밖은 계속 장대비이다.

주내는 차 안에 있겠다 하나, 나는 그럴 수가 없다. 비가 아무리 쏟아진다고 해도 농다리 사진을 찍어야 하는 사명감 때문이다.

우산을 펴 들고 농다리 쪽으로 간다.

저쪽 백곡천 강가로 가는 길은 이미 폐쇄되어 있다. '호우주의보'라는 팻말과 함께.

와, 정말 무지하게 쏟아 붓는다.

그 속을 뚫고 우산을 꾀악 쥔 채, 햇빛 차단용 하늘가리개 쪽으로 간다. 그렇지만 까만 하늘가리개는 햇빛 차단용일 뿐 비를 막아주지는 못한다. 구멍이 숭숭 뚫려 있기 때문이다. 그러니 가리개 밑의 의자들도

농다리 인공폭포와 수양버들

14. 앞이 안 보일 정도로 쏟아붓는 빗속을 뚫고

농다리 수양버들

비를 흠뻑 맞고 있다.

　여기에서 강 건너 산을 찍으면 되겠구나 싶었는데, 거센 빗방울이 떨어지니 결국 우산을 한 손으로 받쳐 들고 한 손으로 찍는 수밖에 없다.

　강가에는 커다란 수양버들 한 그루가 바람에 날리는데, 비를 흠뻑 맞으면서도 그 폼만큼은 근사하다.

진천 농다리

15. 천년 물살에도 끄떡없네!

2024년 7월 7일(일)

강 너머로는 '생거진천'이라는 커다란 글씨를 머리에 인 인공폭포가 보인다.

처음엔 숲 사이에 웬 절벽이 나 있는가 싶었는데, 알고 보니 인공폭 포란다.

그렇지만 물이 흐르지는 않는다. 허긴 비가 이리 내리는데, 관광객이 많을 리가 없고, 그러니 인공폭포의 물줄기를 보여줄 이유가 없는 것이 다.

그렇지만 보기가 흉하다. 아무리 관광객을 위해 인공폭포를 마련했 다고는 하나, 우거진 풍성한 숲 가운데에 저리 흉측하게 절벽을 만들다 니! 아무래도 자연 절벽이 아니라서 표시가 난다. 안 만드느니만 못하다.

한편 지금은 황톳물이 콸콸콸 내려가지만, 농다리 이외에도 이곳에 서 인공폭포 왼쪽으로 돌로 놓은 징검다리가 있다는데, 지금은 물에 잠 겨 보이지 않는다.

강가에는 몇몇 관광객들이 우산을 들고 서 있고, 관리인들이 사람들 을 통제하고 있다. 허긴 이처럼 비가 쏟아 퍼붓는데 저 다리를 건너는 사람은 없을 테지만…….

다리 너머 오른쪽으로 정자가 보인다. 아마도 저게 농암정인 모양이 다.

그렇지만 나중에 지도를 보니 진짜 농암정은 숲속에 숨어 있고, 요 건 천년정이다.

소원을 빌며 저 농다리를 건너면 맨발로 걸을 수 있는 황톳길이 잘 되어 있다는데…….

이 돌다리는 고려 고종 때 권신이었던 임연(林衍, 1215년~1270년)이 이십팔수(二十八宿: 하늘의 동서남북에 각각 7개씩 있는 총 28개의 별자리)에 따라 붉은 돌 28개를 음양에 따라 배치하여 만들었다고 한다.

농다리 인공폭포

굴티 임씨(상산 임씨) 임연 장군은 아침마다 세금천(洗錦川: 지금의 백곡천)에서 세수를 하였다고 한다.

몹시 추운 어느 겨울날 임연이 세수하러 왔다가 어느 젊은 부인이 이 개울을 건너는 것을 보고 그 사유를 물어 봤다. 그 부인은 친정아버

진천 농다리

지가 돌아가서서 친정으로 가는 길이라 하였고, 이에 그 효성에 감복하여 용마를 타고 달려가 하루아침에 이 다리를 놓았다고 한다. 용마는 힘에 부쳐 그 자리에서 죽어 용바위가 되었다고 한다.

한편, 이 농다리 전설에는 오누이 힘겨루기 설화도 있다.

곧, 굴티 임씨에게 남매가 있었는데, 둘 다 힘이 장사였다. 어느 날 이 남매는 죽고 사는 내기를 하였다는데, 아들은 굽 높은 나무께를 신고 목매기 송아지를 끌고 서울 갔다 오기로 했고, 딸은 농다리를 놓기로 했다는데, 딸이 치마로 돌을 날라 농다리를 거의 다 놓았는데도 아들이 돌아오지 않자 어머니는 아들을 살리고자 딸에게 먹을 것을 갖다 주면서 농다리 놓는 것을 늦추었다고 한다.

결국 아들이 먼저 돌아와 내기에 이겼고, 딸은 화가 나서 치마에 있던 마지막 돌을 내던졌다고 한다. 결국 내기에 진 딸은 죽고, 딸이 내던진 돌은 아직도 그 자리에 박혀 있다고 하니 잘 찾아보시라!

딸이 놓지 못한 마지막 한 칸은 다른 사람들이 놓았다는데, 장마가 지면 딸이 놓은 곳은 괜찮은데, 마지막 한 칸은 떠내려갔다고 한다.

그러게 왜 불필요한 내기를 혀? 오누이간에!

그러나 이러한 전설은 후에 만들어진 것이 틀림없다. 이 다리는 그 축조 연대가 확실하진 않으나 신라시대 말이나 고려시대 초에 축조한 것으로 추정되는 까닭이다.

안내판에 따르면, 총 길이 95미터의 이 농다리는 사력암질의 돌을 자갈과 섞어가며 물고기 비늘 모양처럼 쌓아 올려 교각을 만든 후, 그 위에 긴 윗돌(상판석)을 얹은 형태인데 어찌 잘 만들었는지 천 년이 훌쩍 넘은 다리인데도 장마 때에 유실되지 않고 끄떡없다고 한다.

15. 천년 물살에도 끄떡없네!

농다리

진천 농다리

농다리

    허긴 저런 거센 물살에도 돌다리가 끄떡없는 지를 직접 보라고 비가 이리 쏟아 붓는 모양이다.

    사람들은 어떤 현상이든 자기 마음대로 자신에 맞추어 해석하는 경향이 있다.

    물론 사람마다 다 그 해석이 다르겠지만, 이왕이면 긍정적으로 해석하는 게 낫다. 부정적으로 해석해 버릇하면 그 사람 자체가 비극이 되는 까닭이다. 이왕 살아나가는데~.

    한편 이 농다리는 그 형태 때문에 '지네다리'라고도 하며, 비가 오면 물이 불어도 돌 사이로 술술 빠져나간다 하여 수월교(水越橋)라고도 한다.

    이처럼 돌 사이로 물이 빠져나가는 것을 빗대어 대바구니 농(籠)자를 써서 한자로 농교(籠橋)라고 쓴 것이 농다리가 된 연유라고 한다. 이와는 달리 어떤 이는 이 다리를 마치 농(籠)을 차곡차곡 쌓아 놓은 것

으로 보아 농다리라 했다고 한다

　이 다리는 국토해양부에서 선정한 '한국의 아름다운 길 100선'에 뽑힌 곳이란다.

　그래서 그런가? 비가 계속 하늘에서 들이 퍼붓는 데도 이 돌다리를 알현하러 사람들은 모여든다. 이 비를 맞으면서!

　여하튼 이제 이 큰비에도 돌다리가 무사한 걸 확인했으니 다시 자동차로 되돌아가야 한다.

진천 농다리

16. 자연에 순응하는 것도 삶의 한 방편이다.

2024년 7월 7일(일)

농다리를 건너 천년정에서 농암정을 거쳐 미르숲길 살고개를 넘어 왼쪽으로 가면 하늘다리로 이어지는 초평호 산책길인 초롱길 1코스가 나온다.

농암정 가기 전 갈림길에서 오른쪽 미르전망대 쪽으로 가거나, 농암정에서 성황당을 지나면 야외음악당이 나타나고, 여기에서 오른쪽으로 길을 잡으면 자연생태교육관과 습지관찰원이 보인다.

그리고 그 앞으로 최근에 만든 우리나라에서 제일 긴 출렁다리라는 미르다리 309가 나타난다.

우리나라에서 제일 긴 출렁다리인 미르다리가 몇 미터냐고?

처음에는 미르다리 309라 하여 309미터인 줄 알았는데, 알고 보니 220미터란다.

그렇다면 왜 미르다리 309라고 이름을 붙였는고?

고건 초평호의 수면이 해발 309미터여서 그런 이름을 붙였다고 한다. 미르다리에서 '미르'는 물론 '용'을 뜻하는 순우리말이고!

미르다리로 초평호를 건너면 하늘다리 쪽으로 갈 수가 있다.

곧, 농다리를 기점으로 '농다리-->농암정-->야외음악당-->미르다리-->하늘다리-->농다리'로 한 바퀴 휘돌아 한 3시간 정도 걸으면 좋은 산책길이라는데, 에이~ 틀렸다!

일에는 순서가 있는 법이다.

농다리를 건너야 농암정이든 성황당이든, 야외음악당이든, 습지관찰

원이든, 미르다리 309든, 하늘다리든 갈 것이 아닌가!

비님이 이리 오신다는데 농다리를 건널 수가 없으니 하늘다리와 미르다리를 건넌다는 건 언감생심이다. 그러한 생각조차도 참으로 불경스럽고 외람된 일이다.

한편 미르다리를 건너지 않고 오른쪽 숲길을 따라 황토맨발숲길이 있어 여길 걷는 것도 좋다고 하지만 역시 마찬가지이다.

허긴 이쪽 강변 자전거 길에도 커다란 붉은 글씨로 호우주의보 입간판이 길 가운데 떡 버티고 있는디······.

할 수 없다. 인간이 자연에 도전하여 극복해왔다고는 하지만, 자연에 순응하는 것도 삶의 한 방편이니······.

언제 맑을 때 다시 와 봐야겠다.

비가 이리 쏟아지는 데야~.

이런 비를 무릅쓰고 강을 건너려 한다거나 호우주의보 입간판을 무

농다리 설명판

진천 농다리

시하고 이쪽 강변이라도 산책하려는 사람은 분명 머리에 꽃을 꽂으신 분들임에 틀림없을 게다.

다시 주차장으로 가다 농다리 초평호 권역 안내도를 보니, 농다리 초평호보다 초평 저수지 안의 한반도 지형이 떡 중앙에 위치하고 있다.

엥, 여기에도 한반도 지형이?

이 한반도 지형으로 가는 길은 비록 외길이지만, 군데군데 교행할 수 있도록 회피로가 있는 길이며, 이 길을 따라 올라가면 전망대에서 진천 한반도 지형을 볼 수 있는데, 여기에서 보는 경치가 압권이라 한다만…….

비만 안 오면 여기도 한 번 들려 영월의 한반도 지형과 비교 검토해

농다리 초평호 권역 안내도

16. 자연에 순응하는 것도 삶의 한 방편이다.

농다리 주차장

보겠으나, 비가 오시는데 괜히 비님의 심기를 거스르며 갈 필요는 없겠다 싶어 그냥 부산으로 향한다.

　주차장을 나서는데, 지금도 가끔 차가 한 대씩 들어온다. 이 비에도 불구하고~.

　참으로 의지의 한국인들이다!

　자신이 계획한 바를 우천에도 불구하고 관철시키려는 정말로 훌륭한 분들이다.

　그렇지만 어쩌면, 아까운 시간, 아까운 돈 때문에 장맛비를 무릅쓰고 달려온 것일 수도 있다. 곧, 한편으론 관광버스 기사의 소득을 올려주고, 자신이 관광회사에 지불한 돈을 버리지 않기 위한 것일 수도 있는 거다.

　사람마다 다 다르니깐!

진천 농다리

<충주 근교: 월악산, 청풍호, 도담삼봉, 소백산 휴양림>

맑은 바람 쐬고 쉬어보세나!

17. 덕주공주의 한

2021년 4월 25일(일)

한계령을 거쳐 이제 월악산으로 간다.

이미 늦었으니 일단 수안보로 가 호텔에 짐을 푼다.

푹 쉬고 다음 날 아침 일찍 산책을 나선다.

호텔 부근을 거닐다가 아침을 먹고 월악산으로 간다.

월악산은 정말 멋진 산이다.

차창 너머로 산봉우리들이 참으로 수려하다.

월악산은 소백산에서 속리산으로 연결되는 백두대간의 중간에 위치한 기암절벽이 치솟아 있는 험준하고도 신령스러운 산이다.

월악산

월악산 덕주산성

주봉은 영봉(靈峰)으로 1,097m이고, 만수봉, 금수산, 신선봉, 도락산 등 22개의 작은 산과 봉우리를 거느리고 있다.

참고로 영봉(靈峰)이라는 말은 '신령스러운 봉우리'라는 뜻인데, 백두산과 월악산 두 군데밖에 없다고 한다.

가다보니 덕주산성이 나온다.

덕주산성은 백제의 옛 성으로 알려진 곳인데, 통일신라 말 덕주공주가 이곳으로 피난하여 머물면서 망국의 한을 달랜 곳이며, 경순왕이 고려 태조에게 나라를 바치러 갈 때 잠시 머물렀던 곳이라 한다.

한편 마의태자 역시 이곳에 머물다가 양평 용문사와 철원 명성산을 거쳐 금강산으로 들어갔다고 한다.

이곳은 산골짜기가 험하고, 사철 물이 마르지 않는 계곡이 흐르고

월악산 봉우리들

17. 덕주공주의 한

덕주산성 남문

있어 물을 얻기 쉽고, 임산자원이 풍부한 곳이어서 이곳에 산성을 세운 것이리라.

더욱이 이곳은 소백산맥의 월악산 줄기로서 영호남의 길목으로 교통의 요지인 까닭에 옛 신라, 백제, 고구려가 국경을 이루고 서로 차지하기 위해 성을 쌓고 싸움을 벌인 곳이다.

이 산성은 고려 때 몽골의 침입에 맞서 충주 사람들이 이곳에서 피난하여 싸우던 곳이기도 하고, 임진란 때도 사람들이 이곳으로 피신하였다고 한다.

새로 복원 중인 덕주산성의 남문 문루에 올라가 본다.

우리나라의 성은 성벽도, 그리고 성문 위의 문루도 참으로 아름답다.

망폭대

17. 덕주공주의 한

덕주산성에는 이외에도 덕주사 입구인 덕주골에 동문이 있고, 송계리 마을 옆에 북문이 있다.

덕주산성 남문에 올랐다가 내려오니, 길 건너 내가 흐르고 그 내 위로는 깎아지른 절벽이 우람차게 서 있다.

안내판을 보니 망폭대(望瀑臺)이다.

망폭대는 송계계곡의 8경(월악영봉(月嶽靈峰), 자연대, 월광폭포, 수경대, 학소대, 와룡대, 팔랑소, 망폭대) 가운데 제 7경이라 한다.

망폭대란 이름은 망폭대의 줄바위 정상으로 오르면 폭포를 바라볼 수 있는 곳이라서 붙인 이름이라 한다.

18. 신성하여야 할 절에 웬 남근석?

2021년 4월 25일(일)

이제 덕주사로 향한다.

남문에서 망폭대를 지나 조금 내려가면 송계팔경 중 하나인 자연대가 나오고 여기에서 동쪽으로 들어가면 덕주사가 나온다.

덕주사는 신라 진평왕 때 창건된 절인데, 월형산(月兄山) 월악사(月岳寺)라는 이름이었다 한다. 후에 덕주공주가 이곳에 머무르면서 월악산 덕주사로 개칭된 것으로 볼 수 있다.

월악산이란 이름에 달 월(月)자가 들어가 있어 혹자는 '달이 뜨면 영봉(靈峰)에 걸린다.'하여 월악이란 이름을 가졌다고 풀이하나, 이는 잘

덕주사

18. 신성해야 할 절에 웬 남근석?

덕주사에서 보이는 월악산

못된 것이다.

　월(月)은 '달'이라는 우리 옛말을 한자로 차용해서 쓴 것일 뿐이다. '달'은 그 뿌리말이 '둙'에서 온 것으로 '산, 또는 '돌'을 뜻하며 쓰인다. 예컨대, 우랄알타이어인 터키말로는 '둙>다흐'가 산을 나타내는 말이고, 일본 말로도 '다께' 역시 산을 뜻하는 말이다.

　특히 '둙'은 '들/득>돌/독' 따위로 분화되어 산이나 돌을 의미하며 쓰이고 있는 것이다.

　우리나라에서 달 월(月)자가 들어가 있는 산, 예컨대 월출산, 월악산, 월류봉 따위는 모두 돌산이다.

　이제 월악산 영봉의 중턱에 있는 덕주사로 들어간다.

　덕주사에 들어서니 제일 먼저 눈에 띄는 것이 남근석(男根石)이다.

124

덕주사 3개의 남근석

아이구, 남사스러워라!

아니 신성하여야 할 절에 웬 남근석?

이는 이 산의 형태와 관련되어 있다. 곧 월악산은 덕주사 뒤편 수산리에서 보면 누워있는 여자의 얼굴 모습과 닮아 있어 여자 산신이 사는 곳이라 풍수상으로 볼 때 음기가 엄청 강하다고 본다.

또한 이 산을 끼고 있는 충주호 역시 물의 기운이 왕성하여 대체적으로 이 산은 음의 기운이 너무 강하다.

하여 이 강한 음의 기운을 누르고 음양의 조화를 이루기 위해 세 개의 남근석을 세운 것이라 한다.

일종의 풍수석주(風水石柱)인 셈이다.

세 개의 남근석 가운데 두 개는 그 크기가 길고 하나는 작은데, 긴 것 중 하나는 가운데가 부러진 형태로 보존되어 있다.

참고로 경북 안동을 감싸 안고 도는 영남산맥 가운데 한 곳에는 뒷산이 여근형(女根形)이라서 그 왕성한 음기를 중화시키기 위해 3개의 남근석을 세웠다고 한다.

이와 같이 음기를 다스리기 위해 남근석을 3개나 세우는 것은, 하나를 세우자니 그 음기를 다 감당하지는 못하겠고, 두 개를 세우자니 2는 음수라서 안 되고, 그러니 양을 나타내는 수인 3개를 세운 것이리라.

간 남근석이 부러져 있는 것은 아마도 그 앞에서 아들 낳게 해달라고 빌던 여인네들이, 이 남근석의 돌가루를 가져가기 위해 부러뜨린 것 아닐까?

처음에는 풍수상으로 음의 기운을 누르고 음양의 조화를 맞추기 위

남근석

월악산 덕주사

해 남근석을 세웠으나, 세월이 흐름에 따라 아들 못 낳은 여인네들이 이들 남근석을 대상으로 아들 낳고 싶은 소망을 빌고 빈 것이다.

여기에서도 우리의 민간신앙을 엿볼 수 있다.

그런데 이 부러진 남근석 때문일까?

저쪽 편에 동자불과 월악산 봉우리를 바라보며 새로 세워놓은 정말 잘 생긴 굵직한 남근석이 있다.

고놈 참 튼실허다!

18. 신성해야 할 절에 웬 남근석?

19. 젊은 분들은 영봉에 올라가 보시도록

덕주사에 왔으니, 두 개의 큰 바위 틈 사이에 조성해 놓은 산신각을 봐야 한다.

산신각에는 성일화상(成逸和尙)이 단기 4326년(서기 1993년)에 가로 180cm 세로 210cm의 화강암에 돌을새김하여 봉안한 산신도가 있다.

산신 신앙은 우리 민족이 아주 멀고 먼 옛날부터 숭배해왔던 민간 신앙이다.

예컨대, 환웅이 하늘에서 내려와 태백산 신단수 아래에 신시(神市)를 세웠으며 그 아들인 단군왕검은 아사달에서 산신이 되었다고 하는데, 요기에서 알 수 있듯이 우리 민족은 그 먼 옛날부터 산을 신성한 곳

덕주사 산신각 산신도

으로 여기고 그 산의 주인인 산신을 제사하고 숭배해 왔다.

산신 신앙은 우리 민족의 고유 민간 신앙이었으나, 불교가 들어와 그 세력을 넓힘에 따라 불교와 습합되어 산사의 한 귀퉁이에 자리 잡고 그 명맥을 간신히 유지하고 있다.

한편 이곳에는 대불정주비각(大佛頂呪碑閣)이라는 비각이 있는데, 이 비각 안에는 범어(산스크리트어)로 수능엄경에 있는 능엄주(楞嚴呪)가 새겨진 국내 유일의 비가 있다. 산스크리트어를 아시는 분은 꼭 들리셔서 105자로 된 비의 내용을 해석해보시라!

월악산 덕주사는 사실 영봉 중턱 아래 위에 두 개의 절로 되어 있다. 아랫 절이 남근석과 산신각 등이 있는 하덕주사이고, 윗 절이 상덕주사이다.

충주호

19. 젊은 분들은 영봉에 올라가 보시도록

덕주사 마애미륵불

아랫 절에서 동쪽 계곡을 따라 약 1.5km 정도 오르면 윗 절(상덕주사)이 나오는데, 이 절은 6.25 전쟁 때 소실되고, 지금은 마애미륵불, 우공탑, 삼층석탑과 극락전만 남아 있다.

여기에는 보물 406호인 바위 벼랑에 새긴 마애미륵불이 있다.

높이 15m의 큰 바위에 덕주공주가 조성하고 신라의 재건을 염원하였다고 한다.

마의태자가 신라의 부활을 꿈꾸며 양병을 목적으로 오대산으로 가던 중 문경군 마성면 하늘재에서 하룻밤을 묵게 되었는데, 꿈에 관음보살이 나타나 "요기서 서쪽으로 가 고개를 넘으면 서천(西天: 인도의 옛 이름)에 이르는 큰 터가 있으니 절을 짓고 그곳에서 북두칠성이 보이는 자리에 마애불을 지으면 억조창생에 자비를 베풀 수 있으리라."라고 현몽하였다. 같은 시각 덕주공주도 같은 꿈을 꾸었다.

신륵사

그리하여 이곳에 절을 짓고 영봉 밑에 마애여래불상을 조각했다고 한다.

8년 후 마의태자는 오대산으로 떠나고 덕주공주는 이곳에 계속 머물다 입적하였다.

윗 절에서 영봉까지는 대략 3.6km인데, 여기서부터 영봉으로 오르는 길은 월악산을 대표하는 계단길로서 무척 가파르고 힘들다고 소문이 나 있어, 되돌아 나와 다시 차를 타고 월악산 맞은 편 신륵사로 향한다.

젊으신 분들은 꼭 영봉에 올라가보시도록! 전망도 전망이려니와 오르는 계단길이 예술이라니…….

차는 충주호를 끼고 달리는데 경치가 참으로 좋다.

얼마 후 신륵사에 도착한다.

절집은 소박하여 편안하다.

19. 젊은 분들은 영봉에 올라가 보시도록

신륵사는 신라 진평왕 때 아도화상이 창건하였고 문무왕 때 원효대사가 고쳐지었다고 전한다. 그 후 고려 공민왕 때 무학대사가 고쳐지었고, 광해군 때 사명대사가 중건하였다고 한다.

신륵사에는 보물 1296호로 지정된 3층 석탑이 맞배지붕으로 된 극락전 앞에 멋있게 서 있다.

이 화강암 석탑은 고려 시대 초기에 만들어진 것인데, 참으로 보기가 좋다.

1981년 탑을 해체하여 보수할 때 바닥돌 안쪽에서 사리함 조각과 길이가 약 4cm 정도 되는 작은 흙탑이 108개가 나왔다고 한다.

요 작은 흙탑은 국립청주박물관에 보관되어 있다.

한편 벽화와 단청이 유명한 극락전엔 목조아미타부처를 모시고 있다.

신륵사 극락전과 삼층석탑

특히 천장의 벽화가 특이하다. 천장 한 가운데에는 용이 조각되어 있고 그 네 귀퉁이에는 승천하는 용이 그려져 있다.

좌우 벽에는 사자를 탄 문수보살과 코끼리를 탄 보현보살이 그려져 있고, 천동, 천녀들이 악기를 연주하는 그림 주변으로는 잉어인 듯한 30여 마리의 물고기가 돋을새김 되어 있다.

이 절에는 이 이외에도 산신각, 국사당 등이 있는데, 극락전과 함께 내부 사진은 찍으면 안 된다는 안내문이 붙어 있어 사진을 찍을 수는 없다.

신륵사에서 영봉으로 오르는 등산길은 왕복 7.5km로서 최단 코스로 알려져 있으나, 대부분 가파른 오르막길이어서 노약자에게는 권하기 힘든 코스이다.

19. 젊은 분들은 영봉에 올라가 보시도록

20. 후회는 미래를 제시해준다.

2021년 4월 25일(일)

이제 단양으로 향한다.

단양팔경 중 하나인 도담삼봉으로 가는 것이다.

가는 길은 충주호를 끼고 있는 아름다운 길이다.

가는 길에 일단 장회나루 주차장에 차를 세워 놓고 호숫가로 달려간다.

여기에서 바라보는 경치가 정말 끝내주기 때문이다.

일단 나루터 주차장 나무들 사이로 보이는 호수 건너편 710m의 팔목산이 수려하여 사진기에 잡아넣는다.

장회나루에서 보이는 팔목산

충주호 / 소선암자연휴양림

장회나루에서 보이는 구담봉과 금수산

한편 충주호 저쪽 편으로 금수산이 펼쳐져 있고, 그 왼쪽으로는 구담봉이 눈에 뜨인다. 정말 아름다운, 오르고 싶은 봉우리들이다.

저 구담봉 뒤로는 옥순봉이 있을 것이다.

그렇지만 구담봉 옥순봉으로 오르는 길은 몰라 오르지는 못하고, 장회나루 넓은 주차장에 차를 세우고 사진만 찍는다.

정말 아름다운 경치이다. 다시 한 번 와 봐야겠다 싶은 경치이다.

들리는 말에 의하면, 옥순봉 주변에는 강선대와 이조대가 마주보고 있고, 옥순봉으로 오르는 길의 출렁다리는 2021년 10월에 개장한다 하니 나중에 와서 올라가봐야겠다고 생각한다.

한편 구담봉 옥순봉 오르는 방법은 다음과 같다.

월악로의 계란재 옥순봉공원지킴터 주차장(주차비 소형/중형 비수기

20. 후회는 미래를 제시해준다.

4,000원, 성수기 5,000원)에서 차를 세우고 1.4km를 오르면 구담봉과 옥
순봉 갈림길이 나오고, 여기서 옥순봉까지는 900m, 구담봉까지는 600m
인데, 시간은 휴식시간 30분 포함하여 2시간 30분 정도 걸리는 노약자
도 어렵지 않게 오를 수 있는 길이라 한다.

이를 진즉에 알
았다면 올라가 볼
걸!

후회해봐야 소용
없다.

그렇지만 후회는
미래를 제시해준다.

대충 눈요기를
끝내고 다음을 기약
하며 도담삼봉 쪽으
로 향한다.

가다보니 소선암
자연휴양림 안내 표
지가 있어 소선암
자연휴양림에 잠시
들려보기로 한다.

들어가 보니 물
레방아도 있고 봄꽃
들도 피어 있고 숲

소선암 휴양림

속이라서 공기도 청량하다.

들어가 알아본 바에 의하면, 소선암 자연휴양림은 단양팔경 중 셋인 하선암, 중선암, 상선암을 도보로 걸으면서 구경하기에 좋은 곳으로 숙박비도 그리 비싸지 않다. 4인실인 경우 비수기 4만 원, 성수기 6만 원이다.

허나 이걸 이용하려면 '숲나들e'로 들어가 미리 예약을 해야 한다.

이 휴양림에 며칠 머무르면서 단양 8경으로 알려진 옥순봉, 구담봉도 올라가 보고, 상선암, 중선암, 하선암, 사인암, 도담삼봉, 단양석문 등도 구경하면 좋을 듯하다.

20. 후회는 미래를 제시해준다.

21. 정도전은 이미 가고 없고…….

오늘은 그냥 도담삼봉만 보기로 하고 단양으로 향한다.

단양 시내에 들려 이 골목 저 골목 누비면서 맛집 ○○을 찾아 갔으나, '일요일은 휴업'이라는 팻말만 확인하고는 다시 이곳저곳 헤매다가 들어간 곳이 ○○○식당이었다.

여기에서 그럭저럭 점심을 먹은 것까진 좋았으나, 며칠 후 단양보건소에서 선별진료소로 가 코로나 검사를 받으라는 연락이 왔다.

검사 결과 코로나에 걸린 것은 아니었으나, 코로나 진단 검사한다고 콧구멍을 콱 쑤시는 바람에 곤욕을 치렀다. 요건 후일담이다

도담삼봉

단양 도담삼봉

도담삼봉 오른쪽 절벽

21. 정도전은 이미 가고 없고…….

요때 어떤 곤욕을 치렀는지 궁금하신 분들은 부크크에서 출판한 <삶의 지혜 5: 세상이 왜 이래?>를 참조하시기 바란다..

어찌되었든 이제 도담삼봉으로 간다.

도담삼봉 오른쪽으로는 그런대로 봐줄 만한 단애가 물위에 있어 도담삼봉과 함께 볼거리를 제공해주고 있다.

도담삼봉 주차장에 차를 세우니 화려하게 가꾸어 놓은 꽃밭 저 너머로 물위에 떠 있는 세 봉우리가 눈에 뜨인다.

도담삼봉은 전설에 따르면, 정선군에 있던 삼봉산이 홍수 때 떠내려온 것이라 한다. 이에 정선에서 매년 단양에 세금을 요구했다고 하는데, 삼봉 정도전이 "우리가 갖고 싶어 가져온 것이 아니고, 오히려 물길이 막혀 피해가 심하니 정선군에서 도로 가져가라."고 했다 한다. 이후로

도담삼봉

단양 도담삼봉

단양 도담삼봉 오른쪽 풍경

정선군에서 세금내라는 말은 입도 벙긋하지도 않았다고 한다.

정도전의 호가 삼봉이 된 것은 도담삼봉의 세 봉우리에서 따왔다고 하는데, 또 다른 설에는 정도전이 삼각산(북한산) 세 봉우리 밑에 집을 짓고 살았기에 친구들이 찾아와 삼봉이라고 부른 것이 호가 되었다고 한다. 어떤 말이 맞는지는 정도전에게 물어봐야 정확히 알 수 있겠으나, 정도전은 이미 가고 없고…….

도담삼봉은 지금은 세 봉우리가 따로 따로 떨어져 있으나, 이는 충주호가 건설되면서 물속에 잠겼기 때문이라고 한다. 곧, 그 이전에는 세 봉우리가 이어져 있었다고 한다.

그러나 겸재 정선이나 단원 김홍도의 그림에 보면 언제나 세 봉우리가 이어져 있었던 것은 아니어서, 계절에 따라 달라진 듯하다.

21. 정도전은 이미 가고 없고…….

22. 청풍호에 다시 와서…….

2023년 7월 10일(월)

교회 셀 모임의 손〇〇 교수가 소백산 휴양림에 방 두 개를 잡아놓을 테니 여행을 하자고 하여 오늘 아침 8시에 손 교수 차를 타고 출발한다.

여행 계획을 짜면서, 난 지난번에 오르지 못한 청풍호로 부르는 충주호의 구담봉과 옥순봉엘 올라가보고 싶었으나, 일정을 짠 손 교수에 따르면 2박 3일 동안의 스케줄로는 불가하다 한다.

결국 도담삼봉에서 유람선을 타려 했던 것을, 장회나루에서 유람선을 타고 옥순봉과 구담봉을 둘러보는 것으로 변경하기로 결정이 되었다.

내 생각에는 옥순봉 구담봉 유람선 타는 것이 도담삼봉 유람선보다

장회나루휴게소 식당에서 본 구담봉과 금수산

충주호 구담봉 / 옥순봉

훨씬 나으리라 생각되었기 때문이다.

　강OO장로 차에는 안OO집사, 권OO장로, 김OO집사 부부가 타고, 손 교수 차에는 김□□ 집사와 우리 부부가 타고 네 가족이 소백산 휴양림을 향헤 길을 떠난 것이다.

　우리는 일단 군위의 삼국유사휴게소에서 만나기로 했다.

　삼국유사휴게소에서 잠깐 쉰 다음 장회나루 나루터 주차장에서 만나기로 했다.

　충주호(청풍호) 장회나루 유람선은 손 교수가 미리 오후 2시 반 걸루 예약해 놓았는데, 12시 40분 걸루 변경하라는 통보가 와서 그렇게 하기로 하였다.

장회나루 유람선

22. 청풍호에 다시 와서…….

금수산

아마도 손님이 많지 않아 2시 반 유람선은 취소될 모양이라니 어쩔 수
없다.

유람선 가격은 어른이 15,000원인데 온라인으로 예약하면 13,000원
이다. 왕복 약 1시간 30분 정도 걸린다.

장회나루에 도착하니 11시 50분쯤 되었는데, 여기 휴게소에서 점심
으로 비빔밥을 먹는다. 점심은 비교적 맛이 괜찮다.

12시 20분경 나루터로 내려가 배에 올라탄다.

배는 물살을 가르며 왼편으로 구담봉을 끼고 오른편으로는 금수산을
바라보며 달린다.

시원하다.

오른쪽으로는 금수산의 수려한 봉우리들이, 왼쪽으로 구담봉 절벽이

충주호 구담봉 / 옥순봉

보인다.

청풍호와 어울리는 구담봉과 옥순봉은 언제 봐도 아름답다.

명승 제46호인 330m의 구담봉(龜潭峰)은 장회나루 주차장에서 왼편으로 보이는 산봉우리인데, 기암절벽이 거북을 닮았고, 물속 바위에 거북무늬가 있다 하여 생긴 이름이라고 한다.

한편, 조선 인종 때 이지번이 사헌부 지평 벼슬을 버리고 이곳에 은거하며 소를 타고 다녀 사람들이 신선으로 불렀다 한다.

곧 이어 호수를 돌아드니 이제 옥순봉이 나타난다.

한편 286m의 옥순봉(玉荀峰)은 명승 제 48호로 지정된 곳으로 제천 10경과 단양 4경에 속해 있는 충주호에 그림자를 드리운 아름다운 봉우리인데 구담봉 뒤에 있다.

구담봉

22. 청풍호에 다시 와서…….

옥순봉

충주호 구담봉 / 옥순봉

옥순봉이란 이름은 단양군수로 있던 퇴계가 청풍에 볼일을 보러 갔다가 강변에 솟은 바위산 이름을 지어달라는 요청을 받고 지어준 이름이라고 한다.

마치 산의 모양이 죽순처럼 생겼고 희고 푸른 바위들이 대나무처럼 힘차게 솟아올라 봉우리를 이루고 있다 하여 옥순봉이라 이름지은 것이다.

요 설명을 들으며 사진을 살펴보니 정말 그런 것 같기도 하다.

저쪽으로 옥순대교가 보인다.

순식간에 옥순대교를 지나 계속 달린다.

옥순대교 왼쪽으로는 옥순봉 출렁다리가 있다.

달리는 배위에서 보는 좌우의 경치는 참으로 놀랍다. 기암절벽으로

옥순대교

22. 청풍호에 다시 와서…….

청풍호 구담봉 맞은편

이루어져 있다.

배에서는 스피커로 계속 설명을 하고 있으나 귀에 들어오지 않는다. 단지 눈으로 주변 풍경을 즐기며 사진 찍기에 바쁠 뿐이다.

오른쪽으로 리조트 건물과 그 너머로 금수산 고사리봉이 보인다.

이제 배는 청풍대교를 지나 이제 청풍호 유람선 타는 곳에서 내릴 손님은 내리고 탈 손님은 다시 타고, 뱃머리를 돌려 다시 장회나루로 향한다.

날씨는 쾌청하다.

청풍호에 다시 왔으나, 옥순봉 구담봉엔 올라가지 못하고, 출렁다리도 가보지 못했다.

옥순봉 구담봉 올라가는 길은 134~135쪽을 참고하면 되겠고, 옥순봉 출렁다리는 36번 국도인 월악로 원대 거리에서 옥순대교로 가는 길에 있다.

옥순대교 못 미쳐 카약체험장이 있고 출렁다리 입구에 1주차장부터 4주차장까지 있는데, 제 2주차장에 차를 세우고 표를 사서 입장하면 된다.

참고로 옥순봉 출렁다리는 길이 222m, 너비 1.5m인데, 이 다리를 지나면 408m 길이의 데크로드와 야자매트로 이루어진 트래킹길이 있어 청풍호와 옥수봉을 둘러볼 수 있다고 한다.

요 다리는 입장료를 받는데, 일반이 3,000원이고 제천 시민은 1,000원이며, 장애인, 국가유공자 등은 무료이지만 경로는 없다. 입장료 3,000원 중 제천에서 쓸 수 있는 지역화폐로 2,000원을 환급해준다.

추석, 설날, 근로자의 날, 매주 월요일(월요일이 공휴일인 경우 다음 첫 번째 평일)은 휴장일이니 월요일은 피해 가시기 바란다.

이 이외에도 오늘 청풍호 유람을 마치고 지도를 보니 다음번에 오면 꼭 해보아야 할 드라이브 코스가 있다. 곧, 수산면에서 북쪽으로 길을 잡아 청풍대교를 건너 충주호 호숫가를 따라 남동쪽으로 옥순대교를 지나고 옥순봉 출렁다리를 가보면 좋을 듯하다. 아니면 그 반대로 길을 잡아 드라이브해도 좋을 듯하다.

나중에 올 때에는 어떻든 이렇게 한 바퀴 돌아보아야겠다.

22.. 청풍호에 다시 와서…….

23. 그림에는 화가의 개성이 나타나야……

2023년 7월 10일(월)

우리가 오늘 묵을 데는 소백산 휴양림이다.

휴양림 가는 도중에 도담삼봉이 있다.

주내와 나는 지난번 도담삼봉에 가 보았으나 다른 일행은 이번이 처음이라니 안 가볼 수가 있나?

청풍호 유람선에서 장회나루로 돌아오니 시간은 2시 15분이다. 다시 차를 타고 단양의 도담삼봉 주차장에 이르니, 2시 50분이다.

도담삼봉 주차장에 차를 세우고 충주호에 있는 도담삼봉을 구경한다.

도담삼봉

단양 도담삼봉

150

겸재의 삼도담도

단원의 도담삼봉도

23. 그림에는 화가의 개성이 나타나야…….

이전에 왔을 때와 다름없이 도담삼봉은 거기 그대로 있다. 단지 전에 왔을 때에는 꽃밭에 꽃들이 화려하게 피었었는데, 지금은 뙤약볕만 내리쬘 뿐이다.

나와 주내는 시원한 곳을 찾아 매표소 옆에 있는 삼봉스토리관으로 들어선다.

이층으로 되어 있는 현대식 건물인데 에어컨이 나와 시원하다.

그렇지만 크게 볼 것은 없다. 단지 도담삼

봉을 그린 단원,
겸재, 이방운 등
의 그림 따위가
설명과 함께 전
시되어 있다.

이방운의 도담삼봉도

그렇지만 이
그림들은 실제
사진과는 전혀
다르다.

좋게 말해서
화가의 개성이 들어간 그림들이다.

단원의 그림은 사실적 묘사는 거의 없고 그냥 보고 난 후 도담삼봉
을 회상하며 스케치한 듯한 느낌을 주는 그림이고, 겸재의 그림 역시 사
실과는 거리가 멀지만 그림만 봐가지고는 훨씬 더 사실화에 가깝다고
느껴진다.

한편 이방운의 도담삼봉도는 단양 팔경의 하나인 석문과 삼봉을 그
린 것이지만, 전혀 사실적이지는 않다.

석문을 산봉우리 위에 그려 하늘을 통하는 문으로 표현하였고, 넓은
강물 위에서 유람선을 탄 나룻배를 그렸지만, 삼봉은 실제 경치와는 전
혀 다르다.

한편 그 옆에 있는 사진은 훨씬 사실적이다. 황금빛으로 물든 석양
의 도담삼봉 사진인데, 보기에 황홀하다.

남의 사진을 여기에 올려놓을 수는 없으니 삼봉스토리관에 한 번 들

소백산 휴양림: 숲속의 집

려 비교해보시기 바란다.

이를 보니 그림이란 화가의 개성이 나타나야 한다는 걸 알겠다.

이제 소백산 휴양림으로 간다.

소백산 휴양림에 도착하여 남자들은 하선암에, 여자들은 옥순봉에, 짐을 푼다. 여기서 하선암 상선암은 각각 4인실 숙소 이름이다.

휴양림에 도착하니 장마철이라서 그런지 먹구름이 잔뜩 끼었으나 아직 비가 오지는 않아 좋다.

숙소 창밖으로는 파크골프장이 있고, 저쪽 산 너머로는 해가 지고 있다.

밖의 베란다에서는 돼지고기가 지글지글 끓고 있고…….

23. 그림에는 화가의 개성이 나타나야…….

24. 숲속의 집

2023년 7월 11일(화)

새벽에 일어나 밖을 내다보니 구름이 산에 걸려 있다.

밖으로 나와 산보를 한다. '숲속의 집'에서부터 살살 걸어 '정감록 명당 체험 마을'까지 걷는다.

공기는 비교적 쾌청한데, 걷다보니 날파리들이 달라붙는 다.

처음에는 그런대 로 상쾌했으나 조금 걸으니 역시 여름이 다. 땀이 난다.

'정감록 체험 마을'로 가 전망대를 둘러보고 전망대에서 구름 낀 산의 사진 을 찍으려 하나 벌 써 구름은 온데간 데없다.

산 사진은 구름

소백산 휴양림: 능소화

소백산 휴양림

이 끼어 있어야 맛이 난다. 한국화처럼 여백의 미를 살리려면 흰 구름이 어느 정도 산의 속살을 가려줄 듯 보여줄 듯 하여야 한다.

구름이나 안개가 바로 여백의 역할을 하는 것이다.

그래서 쾌청한 날의 산 사진은 나에겐 별로다.

'정감록 체험마을'에서 되돌아 나와 다시 숲속의 집 '하선암'으로 돌아온다.

숲속의 집은 하선암, 중선암, 상선암, 옥수봉 등 단양 팔경의 이름을 따 지어 놓았는데, 우리 숙소는 하선암이고 저 아래 여자들 숙소는 옥수봉인데 그 사이에 상선암이 끼어 있다.

고도로 볼 때, 하선암이 상선암보다 더 높은 곳에 있다. 그러니 상선암과 하선암의 이름을 바꾸어야 맞는 거 아닌가?

소백산 휴양림 일몰

24. 숲속의 집

소백산 휴양림: 흔들다리

되돌아와 파크골프장을 살펴본다.

이용료가 18홀에 1만원이든가 하는 모양인데, 골프 코스의 거리가 15m, 20m 등 너무 짧다.

파크골프장이 있다고 하여 골프채와 공을 준비하라는 손 교수의 명령(?)에 따라 준비해 왔는데, 살펴보니 도저히 파크골프를 칠 곳이 아니다.

요건 내 의견이 아니다. 셀 모임 전체의 의견이다. 무슨 파크골프장이 있다고 선전해 놓고는 이용도 못할 파크골프장이라니! 좀 널찍하고 길게 제대로 만들어 놓지 않구.

표지판을 보니 저쪽 편에도 전망대가 있다. 전망대 전에는 흔들다리가 있는데 넓고 짧아 그렇게 흔들거리지는 않는다.

아이구, 이 가까운 곳에 전망대가 있는데, 여기에서 오늘 아침 구름

소백산 휴양림: 숲속의 정자

낀 건너편 산을 찍었으면 멋진 사진이 나왔을 텐데……

내일 아침 새벽에 구름이 끼면 여기로 다시 와서 사진을 찍어야겠다고 생각하고 '평강관'과 '온달관'을 지나 정자가 있는 숲으로 들어가 다시 '숲속의 집'으로 한 바퀴 돌아 다시 '하선암'으로 돌아온다.

이렇게 산보를 하니 거리가 매우 멀지는 않지만 어느 정도는 된다. 만보는 아니지만 한 5천보는 넘었으리라.

샤워를 하고 '옥수봉'으로 가 아침을 먹는데 폭우가 쏟아진다. 그러다가 그친다.

아무리 산속이라도 장마를 피하지는 못하는 것이다.

24. 숲속의 집

25. 다른 관광지에서도 이를 본받았으면!

2023년 7월 11일(화)

아침 식사 후 오늘 일정은 우선 '만천하스카이워크'에 가 단양 일대를 전망하고, 점심을 사 먹은 후 '카페산'이라는 곳으로 가 커피를 한 잔 하고 돌아오는 것이다.

아침부터 폭우가 쏟아졌다 말다 한다.

다행히 만천하스카이워크에 도착하니 비가 멎는다.

여기에는 모노레일이 있어 모노레일을 타고 전망대로 올라가나 했는데, 운행하지 않는다며 무료 셔틀버스를 타고 가라고 한다.

주차장에 차를 세워 놓고 표를 산 후 버스를 탄다.

만천하스카이워크

단양 만천하스카이워크

　입장료는 어른 3,000원인데, 아동/청소년/경로는 2,500원으로 별로 비싸지 않아 좋다. 집와이어(30,000원)를 구매하면 공짜.

　더욱이 주차장도 무료이고, 스카이워크까지 가는 셔틀버스도 무료이다. 어찌 보면 왕복 버스값만 받는 것으로 착각할 수도 있다.

　관광지치고 이렇게 싸고 좋은 곳은 처음이다. 감사한다. 다른 지방자치단체나 관광지에서도 이를 본받았으면 한다.

만천하스카이워크

　다만 '스카이워크'라는 말이 좀 거슬린다. 옥에 티이다.

　그냥 '하늘 걷기'라고 하면 안 될까? '만천하 하늘 걷기' 얼마나 좋은가!

　어찌되었든 감사한 마음으로 버스를 타니 곧 산위로 우릴 실어 나른다.

　그런데 내리고 보니, 집와이어 타는 곳이 코앞이고, 그

25. 다른 관광지에서도 이를 본받았으면!

만천하스카이워크

옆으로 스카이워크 전망대로 올라가는 길이 있는데, 여기서 내려다보는 경치도 일품이다.

참고로 집와이어 한 번 타는 데는 3만 원이라고 한다. 약 900m를 시속 50km의 속도로 타고 내려가는데, 짜릿짜릿하긴 하겠으나 3만 원은 순간이다. 그러니 가격도 짜릿하다!

그런데, 어이쿠, 일행 중 권 장로와 강 장로, 두 분 장로님이 보이지 않는다. 손 교수는 두 분이 앞 버스로 먼저 출발한 것으로 알았는데, 나중에 알고 보니, 화장실에 가신 것이었다.

두 분 장로님께서는 다음 버스로 올라오실 테니 일단 스카이워크로 올라간다.

만천하스카이워크는 단양강 수면에서 200m(해발 320m) 정도 되는 깎아내린 듯한 웃바위에 세운 꽃봉오리 모양의 철제로 된 건물로서 빙빙 돌아 오르며 단양 일대를 전망하도록 되어 있다.

이 웃바위 절벽에는 단양강을 내려 보며 포효하는 호랑이 무늬가 새겨져 있어 예부터 신성시 여겼고, 남한강 물 흐름을 단번에 꺾는 기가 서린 곳이라 한다.

또한 웃바위는 만학천봉(萬壑千峰)에 위치하여 오랜 세월동안 사람들의 소원을 빌고 자신을 돌아보는 장소로 유명하다고 한다.

빙빙 돌아 오르면서 동서남북을 조망하며 그 경치에 감탄한다. 저 멀리 단양 시내도 보이고, 단양강과 그 너머 구름에 싸인 산봉우리들도 기막힌 경치를 선사한다.

날씨가 좋으면 소백산 단양 시 저 너머로 연화봉이 보인다는데, 오늘은 구름에 가려 있다. 그래도 난 이 경치가 더 좋다.

만천하스카이워크: 단양강과 단양 시내

25. 다른 관광지에서도 이를 본받았으면!

만천하스카이워크: 단양역과 단양강

이곳에 온 건 정말 후회 안 한다.

돈도 싸고, 스카이워크 오르는 길도 경사가 심하지 아니하여 걷기에
도 좋고, 무엇보다도 사방으로 툭 트인 경치가 그만이니!

만천하스카이워크: 단양강과 시루섬

단양 만천하스카이워크

　꼭대기에 이르니 앞으로 툭 튀어나온 전망대가 세 군데 마련되어 있다.

　물론 밑 부분은 철조망과 유리로 되어 있어 아래가 다 보이고 약간 흔들리기도 한다.

　그러니 몸무게가 좀 나간다고 생각하시는 분들은 혹시 밑이 꺼질지 모르니 참고하시라. 심장이 약하거나 간이 작으신 분들도 참고하시고!

　고소공포증이 아니더라도 이곳에 올라가 사진을 찍으려면 간이 조금은 커야 한다.

　그런데 간 큰 여자들이 참 많다. 역시 대한민국 여성이다!

　"용감한 자만이 미인을 얻을 수 있다."는 말은 여기에서 만큼은 "간이 커야 사진에 찍힐 수 있다."로 바꾸어도 되지 않을까?

소백산 휴양림: 풍경

25. 다른 관광지에서도 이를 본받았으면!

소백산 휴양림: 숙소

전망대는 최고다! 특히 비 오는 날의 전망대는 멋진 경치를 보여준다.

이제 다시 셔틀버스를 타고 내려와 차를 탄다.

차를 타니 또다시 폭우가 쏟아진다.

휴양림으로 되돌아가는 길에 외길로 된 굴속을 통과하는데, 굴속은 붉은색, 푸른색, 노란색, 초록색 등의 불빛으로 무지개를 구현해 놓았다. 조금은 유치하다만……

그리고 휴양림에 돌아오니 비가 그친다.

것 참!

늦은 점심을 먹고, 셀폰을 들고 밖으로 나간다. 구름이 낀 경치가 좋기 때문에 아침에 봐둔 전망대로 간다.

그리고 사진을 찍는다.

단양 만천하스카이워크

26. 역시 젊음이 좋다. 돈도 안 무서워하고!

2023년 7월 12일(수)

장마는 장마다. 새벽부터 비가 엄청 내린다.

그러더니 멎는다.

다시 아침 산보에 나선다.

새벽에 내린 소나기로 숲은 싱싱하다.

비록 날파리들이 성가셔서 그렇지 공기도 좋고 경치도 좋으니, 이런
데서 살면 말 그대로 휴양이 되긴 하겠다.

일단 숲속의 집 전망대로 간다.

저쪽 건너편 산에 흰 구름이 덮여 있기 때문이다.

그렇지만 그렇게 썩 좋은 경치는 아니다.

소백산 휴양림: 숲

소백산 휴양림: 화전민들의 너와집

오히려 숲속의 싱싱한 나무들이 더 낫다.

숲속으로 난 길을 걸어 자동차 다니는 도로로 나온다. 여기엔 화전민들의 너와집이 있다.

한 바퀴 휙 돌아 다시 숙소로 돌아간다.

그러자 또다시 비가 내리기 시작한다.

아침을 먹으러 숙소인 '하선암'에서 '옥수봉'으로 가야 하는데 비가 그치지 아니한다.

우산을 쓰고 비를 맞으며 걷는다.

아침을 먹고 모두 짐을 싼다.

9시에 키를 반납하고 휴양림을 떠나 부산으로 가기 전 카페산이라는 곳으로 간다.

카페산 / 단양강 잔도

카페산: 전망

이곳은 산위에 있는데, 패러글라이딩의 출발 장소이다.

차로 산위로 오르니, 주차장이 매우 넓다.

우리 일행은 일단 카페에 들어가 커피를 시키고는 산 아래 전망을
감상한다.

이곳 전망도 정말 좋다.

비는 간간히 뿌리다가 만다.

카페산 바로 앞은 낭떠러지이다. 가만히 보니 이곳이 바로 패러글라
이딩이 출발하는 곳이다.

저쪽 편으로는 패러글라이딩 회사들이 줄지어 있다. 가서 보니 가격
이 코스에 따라 다르지만 85,000원(5~6분 정도)~205,000원(13~20분
+ 영상 등 포함)까지 있다.

26. 역시 젊음이 좋다. 돈도 안 무서워하고!

10시 이전에 예약하면 조조 할인을 받을 수 있고, 현금을 지불하면 5,000원을 빼주기도 한다니 가능하면 현금을 준비하시라!

그리고 이왕 카페산에서 커피를 마시려면, 패러글라이딩부터 하시라. 그러면 음료할인권(1,000원)도 챙겨 준다.

그런데, 누구 탈 사람?

손드는 사람이 하나도 없다. 모두가 패러글라이딩은 안 탄다고 한다. 돈도 돈이겠지만, 돈보다도 몸을 사리는 거다.

패러글라이딩을 하면 참 멋있겠다는 생각이 든다.

공중에 날며 단양 이곳저곳을 보는 기분을 만끽하고 싶지만, 다들 안 한다는데……

역시 젊음이 좋다. 돈도 안 무서워하고!

카페산: 패러글라이딩

단양강 잔도

26. 역시 젊음이 좋다. 돈도 안 무서워하괴

단양강 잔도

젊은이들이 패러글라이더를 타고 뛰어 내린다.

우린 그저 커피만 축내며 사진기 셔터만 누른다.

이제 수양개 잔도(단양강 잔도)를 걸을 차례다.

단양강 잔도는 남한강 암벽에 붙어 있는 1.2km의 친환경 데크로 된 잔도인데, 가 보니 어제 갔던 만천하스카이워크 주차장 바로 밑이다.

어제 갈 걸 그랬나 싶었으나, 허긴 어제 오후엔 비가 쏟아졌으니 안 가길 잘 한 듯하다.

강물은 비가 많이 내려서 황토색이지만, 보이는 경치는 참으로 좋다.

경치도 좋고, 운동도 되어 좋기는 하다만, 역시 여름은 여름이다. 한 중간쯤 갔을까, 땀을 흘리며 되돌아선다.

이 잔도는 야간에도 운치가 있다고 하니 야간에 와보는 것도 좋을 듯하다. 야간 조명은 일몰 후 23시까지!

카페산 / 단양강 잔도

이제 점심을 먹고 단양을 떠나 부산으로 향하면 된다.

점심은 맛집을 찾다보니 <대강맛집>이 있다. 메뉴는 소머리국밥, 콩국수, 선지해장국 등이 있다.

들어가 보니 벽에 커다란 그림들이 걸려 있다. 알고 보니 이 집 사장님이 화가란다.

그림 감상하며 점심을 맛있게 먹고 단양 IC를 통과하여 부산으로 내려온다.

이것으로 2박3일의 소백산 휴양림 휴양은 끝났다.

후기

시간이 있으면 단양의 구경시장에 가서 '마늘순대국'이나 '마늘떡갈비'나 '흑마늘누룽지닭강정'을 맛보는 것도 좋을 듯하다. 시장 구경은 덤이고!

이 이외에도 고수동굴을 구경해도 좋고, 소금정공원과 시루섬도 들리시길! 아니면 앞에서 보았듯이 단양팔경을 하나하나 들려보시는 것도 강추!

26. 역시 젊음이 좋다. 돈도 안 무서워하고!

책 소개

　＊ 여기 소개하는 책들은 **주문형 도서(pod: publish on demand)**이므로 시중 서점에는 없습니다. 교보문고나 부크크에 인터넷으로 주문하시면 4-5일 걸려 배송됩니다.

http//www.kyobobook.co.kr/ 참조.

http://www.bookk.co.kr/ 참조.

<u>외국 여행기(칼라판)</u>

<일본 여행기 1: 대마도 규슈> 별 거 없다데싴 부크크. 2020. 국판 칼라 202쪽. 14,600원 / 전자책 2,000원.

<일본 여행기 2: 고베 교토 나라 오사카> 별 거 있다데싴 부크크. 2020. 국판 칼라 180쪽 / 전자책 2,000원.

<타이완 일주기 1: 타이베이 타이중 아리산 타이난 가오슝> 자연이 만든 보물 1. 부크크. 2020. 국판 칼라 208쪽. 14,900원 / 전자책 2,000원.

<타이완 일주기 2: 헝춘 컨딩 타이동 화롄 지롱 타이베이> 자연이 만든 보물 2. 부크크. 2020. 국판 칼라 166쪽. 13,200원 / 전자책 1,500원

<중국 여행기 1: 북경, 장가계, 상해, 항주> 크다고 기죽어? 부크크. 2023. 국판 칼라 230쪽. 16,000원 / 전자책 2,000원.

<중국 여행기 2: 계림, 서안, 화산, 황산, 항주> 신선이 살던 곳. 부크크. 2023. 국판 칼라 308쪽. 25,700원 / 전자책 2,000원.

<중국 여행기 3: 태항산> 중국의 그랜드 캐넌이라고? 부크크. 2024. 국판 칼라 156쪽. 14,600원 / 전자책 2,000원.

<중국 여행기 4: 곤명, 대리, 여강, 샹그릴라> 여기는 늘 봄이라네. 부크크. 2024. 국판 칼라 230쪽. 18,900원 / 전자책 3,000원.

<태국 여행기: 푸켓, 치앙마이, 치앙라이> 깨달음은 상투의 길이에 비례한다. 부크크. 2023. 국판 칼라 232쪽. 16,100원 / 전자책 2,000원

<동남아시아 여행기: 태국 말레이시아> 우좌! 우좌! 부크크. 2019. 국판 칼라 234쪽. 16,200원 / 전자책 2,000원.

<동남아 여행기 1: 미얀마> 벗으라면 벗겠어요. 부크크. 2023. 국판 칼라 320쪽. 26,900원 / 전자책 2,000원.

<동남아 여행기 2: 태국> 이러다 성불하겠다. 부크크. 2023. 국판 칼라
228쪽. 15,900원 / 전자책 2,000원.

<동남아 여행기 3: 라오스, 싱가포르, 조호바루> 도가니와 족발. 부크크.
2023. 국판 칼라 262쪽. 19,200원 / 전자책 2,000원.

<동남아 여행기 4: 베트남, 캄보디아> 세상에 이런 곳이!: 하롱베이와
앙코르 와트. 부크크. 2023. 국판 칼라 338쪽. 28,700원 / 전자책
3,000원

<인도네시아 기행> 신(神)들의 나라. 부크크. 2023. 국판 칼라 134쪽.
12,100원 / 전자책 2,000원.

<중앙아시아 여행기 1: 카자흐스탄, 키르기스스탄> 천산이 품은 그림 1.
부크크. 2020. 국판 칼라 182쪽. 13,800원 / 전자책 2,000원.

<중앙아시아 여행기 2: 카자흐스탄, 키르기스스탄> 천산이 품은 그림 2.
부크크. 2020. 국판 칼라 180쪽. 13,700원 / 전자책 2,000원.

<조지아, 아르메니아 여행기 1> 코카사스의 보물을 찾아 1. 부크크. 2020.
국판 칼라 쪽. 184쪽. 13,900원 / 전자책 2,000원.

<조지아, 아르메니아 여행기 2> 코카사스의 보물을 찾아 2. 부크크. 2020.
국판 칼라 쪽. 182쪽. 13,800원 / 전자책 2,000원.

<조지아, 아르메니아 여행기 3> 코카사스의 보물을 찾아 3. 부크크, 2020.
국판 칼라 쪽. 192쪽. 14,200원 / 전자책 2,000원.

<터키 여행기 1: 이스탄불 편> 허망을 일깨우고. 부크크. 2021. 국판
칼라 쪽. 250쪽. 17,000원 / 전자책 2,500원.

<터키 여행기 2: 아나톨리아 반도> 잊혀버린 세월을 찾아서. 부크크.
2021. 국판 칼라 286쪽. 22,800원 / 전자책 2,500원.

<시리아 요르단 이집트 기행> 사막을 경험하면 낙타 코가 된다. 부크크.
2021. 국판 칼라 290쪽. 23,400원 / 전자책 2,500원.

<이스라엘 요르단 여행기> 성경이 남겨 놓은 자취를 찾아서. 부크크.
2023. 국판 칼라 376쪽. 32,500원 / 전자책 3,000원.

<마다가스카르 여행기> 왜 거꾸로 서 있니? 부크크. 2019. 국판 칼라
276쪽. 21,300원 / 전자책 2,500원.

<러시아 여행기 1부: 아시아> 시베리아를 횡단하며. 부크크. 2019. 국판
칼라 296쪽. 24,300원 / 전자책 2,500원.

<러시아 여행기 2부: 모스크바 / 쌩 빼쩨르부르그> 문화와 예술의 향
기. 부크크. 2019. 국판 칼라 264쪽. 19,500원 / 전자책 2,500원.

<러시아 여행기 3부: 모스크바 / 모스크바 근교> 동화 속의 아름다움을 꿈꾸며. 부크크. 2019. 국판 칼라 276쪽. 21.300원 / 전자책 2,500원.

<유럽여행기 1: 서부 유럽 편> 몇 개국 도셨어요? 부크크. 2020. 국판 칼라 280쪽. 21,900원 / 전자책 3,000원

<유럽여행기 2: 북부 유럽 편> 지나가는 것은 무엇이든 추억이 되는 거야. 부크크. 2020. 국판 칼라 280쪽. 21,900원 / 전자책 3,000원.

<북유럽 여행기: 스웨덴-노르웨이> 세계에서 제일 아름다운 곳. 부크크. 2019. 국판 칼라 256쪽. 18,300원 / 전자책 2,500원.

<유럽 여행기: 동구 겨울 여행> 집착이 삶의 무게라고. 부크크. 2019. 국판 칼라 300쪽. 24,900원 / 전자책 3,000원.

<포르투갈 스페인 여행기> 이제는 고생 끝. 하느님께서 짐을 벗겨 주셨노라! 부크크. 2020. 국판 칼라 200쪽. 14,500원 / 전자책 2,500원.

<미국 여행기 1: 샌프란시스코, 라센, 옐로우스톤, 그랜드 캐년, 데스 밸리, 하와이> 허! 참, 이상한 나라여! 부크크. 2020. 국판 칼라 328쪽. 27,700원 / 전자책 3,000원.

<미국 여행기 2: 캘리포니아, 네바다, 유타, 아리조나, 오레곤, 워싱턴>
보면 볼수록 신기한 나라! 부크크. 2020. 국판 칼라 278쪽. 21,600
원 / 전자책 2,500원.

<미국 여행기 3: 미국 동부, 남부, 중부, 캐나다 오타와 주> 그리움을
찾아서. 부크크. 2020. 국판 칼라 286쪽. 23,100원 / 전자책 2,500원.

<멕시코 기행> 마야를 찾아서. 부크크. 2020. 국판 칼라 298쪽. 24,600
원 / 전자책 3,000원.

<페루 기행> 잉카를 찾아서. 부크크. 2020. 국판 칼라 250쪽. 21,700원
/ 전자책 2,500원.

<남미 여행기 1: 도미니카 콜롬비아 볼리비아 칠레> 아름다운 여행. 부
크크. 2020. 국판 칼라 266쪽. 19,800원 / 전자책 2,000원.

<남미 여행기 2: 아르헨티나 칠레> 파타고니아와 이과수. 부크크. 2020.
국판 칼라 270쪽. 20,400원 / 전자책 2,000원.

<남미 여행기 3: 브라질 스페인 그리스> 순수와 동심의 세계. 부크크.
2020. 국판 칼라 252쪽. 17,700원 / 전자책 2,000원.

국내 여행기(칼라판)

<우리나라 여행기 1: 백두산> 우리의 영산, 백두산! 부크크, 2023. 국판 칼라 근간.

<우리나라 여행기 2: 한탄강 설악산 화진포 오대산 낙산사> 물길 따라 구름 따라: 휴전선 근방의 아름다운 곳들. 부크크, 2024. 국판 칼라 182쪽. 15,700원 / 전자책 2,000원.

<우리나라 여행기 3: 울릉도, 독도, 제주도> 이렇게 아름다운 경치가! 부크크, 2023. 국판 칼라 228쪽. 15,900원 / 전자책 2,000원.

<우리나라 여행기 4: 호남 편> 남도의 멋과 흥을 찾아서. 부크크, 2023. 국판 칼라 401쪽. 35,000원 / 전자책 4,000원.

<우리나라 여행기 5: 영남 편> 인연이 다하면 새로운 인연이. 부크크, 2023. 국판 칼라 380쪽. 32,900원 / 전자책 3,000원.

<우리나라 여행기 6: 충청 편> 맑은 바람 쐬고 쉬어 보세나! 부크크, 2024. 국판 칼라 194쪽. 16,300원 / 전자책 3,000원.

<우리나라 여행기 7: 강원 편> 근간.

<우리나라 여행기 8: 경기 편> 근간.

<u>우리말 관련 사전 및 에세이</u>

<우리 뿌리말 사전: 말과 뜻의 가지치기>. 재개정판. 교보문고 퍼플.
    2016. 국배판 양장 916쪽. 61,300원 /전자책 20,000원.

<우리말의 뿌리를 찾아서 1> 코리아는 호랑이의 나라. 교보문고 퍼
    플. 2016. 국판 240쪽. 11,400원 / 전자책 247쪽. 4,000원.

<우리말의 뿌리를 찾아서 2> 아내는 해와 같이 높은 사람. 교보문고 퍼
    플. 2016. 국판 234쪽. 11,100원.

<우리말의 뿌리를 찾아서 3> 안데스에도 가락국이……. 교보문고 퍼플.
    2017. 국판 239쪽. 11,400원.

<u>수필: 삶의 지혜 시리즈</u>

<삶의 지혜 1> 근원(根源): 앎과 삶을 위한 에세이. 교보문고 퍼플.
    2017. 국판 249쪽. 10,100원.

<삶의 지혜 2> 아름다운 세상, 추한 세상 어느 세상에 살고 싶은가요?
    교보문고 퍼플. 2017. 국판 251쪽. 10,100원.

<삶의 지혜 3> 정치와 정책. 교보문고. 퍼플. 2018. 국판 296쪽. 11,500원

<삶의 지혜 4> 미국의 문화와 생활. 부크크. 2021. 국판 270쪽. 15,600원.

<삶의 지혜 5> 세상이 왜 이래? 부크크. 2021. 국판 248쪽. 14,000원.

<삶의 지혜 6> 삶의 흔적이 내는 소리. 부크크. 2021. 국판 280쪽.
16,000원.

기타

4차 산업사회와 정부의 역할. 부크크. 2020. 국판 84쪽. 8,200원 / 전자
책 2,000원.

사회복지정책론. 송근원. 김태성. 나남 2008. 국판 480쪽. 16,000원.

4차 산업시대에 대비한 사회복지정책학. 교보문고 퍼플 [양장]. 2008.
42,700원.

사회과학자를 위한 아리마 시계열분석. 교보문고 퍼플 2018. 국판 300
쪽. 10,100원.

회귀분석과 아리마 시계열분석. 한국학술정보. 2013. 크라운판 188쪽.
14,000원 / 전자책 8,400원.

지은이 소개

- 송근원

- 대전 출생

- 전 대학교수

- 여행을 좋아하며 우리말과 우리 민속에 남다른 애정을 가지고 있음.

- e-mail: gwsong51@gmail.com

- 저서: 세계 각국의 여행기와 수필 및 전문서적이 있음.